도형 학습의 기준

플라토
PLATO

F1

평면규칙 | 초6

사고가 자라는 수학

씨투엠

플라토가 제안하는 도형 학습법

도형 학습지 플라토를 처음 기획하던 때의 기억이 선명하네요. 처음에는 아이들에게 그다지 필요하지 않을 거라 생각해서 소수의 학원에서만 풀리는 교재로 생각했는데 교재가 모양을 갖추어가자 점점 모든 아이들이 즐겁게 도형을 풀 수 있는 책이 만들어질 거라는 확신이 들었지요.

처음 교재를 쓰면서 놓치지 않고 싶었던 콘셉트는 딱 이거였어요.
"쉽고! 가볍게!"
쉬운 교재를 쓴다는 것이 결코 쉽지 않았답니다. 쓰다 보면 어느새 높은 수준의 공간 감각을 요구하는 어려운 문제가 막 튀어나오고 난리도 아니었지요. 그럴 때마다 '아니야, 이 책은 정말 쉽고 가벼워야 해. 아이들이 술술 풀 수 있는 학습지여야 한다고!' 하며 다시 마음을 다잡고 어려운 문제를 빼고 다시 쓰기를 반복했답니다.

우여곡절 끝에 나온 '플라토'를 지난 6년 정도의 시간 동안 정말 깜짝 놀랄 만큼 많은 아이들이 선택하여 풀게 되었지요. 처음 생각했던 가볍고 쉬운 도형 학습지라는 콘셉트가 많은 부모와 아이들에게 받아들여졌다는 사실이 저자로서 무척이나 기쁘고 정말 뿌듯합니다. 플라토가 단순히 도형을 체계적으로 학습하기 위한 학습지라는 개념을 넘어, 아이들이 도형, 더 나아가 수학에 대한 자신감을 가질 수 있게 하는 수학 학습의 시작점이 되었다는 사실이 무엇보다 자랑스럽습니다.

아이들을 위한 수학책을 집필하면서 수학 때문에 힘들어하는 아이들에게 또 하나의 짐을 더 지워주는 것이 아닌가 하는 걱정이 있었어요. 도형 학습지 플라토가 초등 도형 학습이라는 새로운 영역을 개척하며 점점 성장하는 것과 함께 어쩌면 도형도 따로 공부해야 한다는 또 다른 짐이 되어버린 것 같아 아쉽기도 했지요. 하지만 지난 몇 년간 플라토를 푼 많은 아이들이 올려준 후기를 보면서 저희의 걱정이 지나쳤다는 확신이 생겼답니다. 플라토를 푼 아이들, 플라토로 수학을 시작한 아이들은 수학이 괴롭고 힘들다는 인식 대신, 수학을 가볍고 부담 없고 만만한 것으로 받아들이게 되는 과정을 몸소 보여주었어요. 이것은 저희가 처음에 플라토를 기획했던 때에 기대했던 반응과 효과를 넘어선 정말 커다란 수학 학습의 변화라고 자평한답니다.

많은 사랑을 받았던 플라토가 이제, 플라토를 접한 이들의 소중한 피드백과 함께 새로운 개정판으로 다시 태어났어요. 원래 플라토가 가지고 있던 장점은 그대로 가진 채, 좀 더 예뻐지고, 좀 더 친절해지고, 좀 더 풍성해진 모습으로 다시 한번 아이들에게 다가가려 합니다. 이러한 작은 변화가 아무쪼록 여전히 수학, 그리고 도형으로 고민하는 많은 부모와 아이들에게 기쁜 소식이 되었으면 해요.

새로운 플라토, 잘 부탁드리고, 또 많은 관심과 의견 보내주시면 정말 고마울 거예요.

2022년 지식과상상연구소 드림

도형학습, 자주 묻는 질문과 답변

질문 1 도형 학습 반드시 필요할까요? 또는 어떤 아이들에게 필요할까요?

도형 영역의 성취도가 다른 영역에 비해 확연하게 높은 아이들과 선천적으로 공감 감각이 뛰어난 친구에게는 필요하지 않겠지요. 그러나 초등학교의 도형 학습은 단원 간 시간 간격이 상당히 크기 때문에 아이들이 도형의 기본 개념을 연계하여 학습하지 못하는 어려움이 있고, 이러한 어려움이 누적되면 훨씬 어려운 중학교 도형 영역에서 힘들어하는 경우가 많답니다. 이 때문에 좀 더 도형을 체계적으로 꾸준하게 하고 싶다는 아이들에게는 반드시 추천합니다.

특히 도형을 어려워하거나 싫어하는 친구들에게 플라토는 특효약이 될 수도 있다는 점 잊지 마세요.

질문 2 도형 학습은 교구가 반드시 필요한가요?

영유아기에 도형 교구를 다루어 본 아이들과 그렇지 않은 아이들은 초등 단계에서 유의미한 도형 학습의 성취도 차이를 보이기는 합니다. 그러므로 3세~7세의 아이들에게 도형 교구를 노출시켜주어야 한다고 생각해요. 유아 단계에서는 놀이를 중심으로 한 교구 학습을 추천하고, 플라토를 시작하고 진행하는 단계에서는 교구를 도형 학습의 보조 도구로 활용하는 것이 좋을 것 같습니다. 예를 들어 플라토를 풀다가 거울에 비친 모양을 어려워한다면 거울 교구를, 칠교를 어려워한다면 칠교 교구를 직접 만지면서 문제를 푸는 것이 학습 효과를 높일 수 있지요. 플라토 개정판에서는 연관 교구를 표시해 두었고, 일부 교구재를 교재와 함께 제공하고 있습니다.

질문 3 반드시 추천하는 도형 교구가 있나요?

반드시 필요한 도형 교구라면 교과서에 등장하는 도형 교구라고 생각해요. 패턴블록, 거울(리플렉터), 칠교, 펜토미노, 쌓기나무, 입체 모형, 지오보드 등이 교과서에 빠지지 않고 등장하는 교구이지요. 이러한 교구를 한 번에 묶어서 구성해 놓은 것이 플라토 주머니랍니다. 필요하신 분은 검색해 보세요!

질문 4 아이가 플라토를 너무 빨리 풀어요. 어떻게 해야 할까요?

입문 단계의 플라토는 정말 쉽게 만들었기 때문에 어떤 아이들은 한 달 분량의 교재를 1주일이나 빠르게는 2~3일 만에 풀곤 한답니다. 아이가 학습지를 스스로의 의지로 빨리 풀어낸다는 것은 좋은 일이지요. 칭찬해주어야 마땅합니다. 6세~2학년 정도까지는 도형 학습에 있어 좀 더 윗 단계를 푸는 것도 크게 어렵지 않습니다. 그래서 아이 연령에서 2단계~3단계 위까지는 아이가 속도감 있게 풀면서 쭉 나가주어도 괜찮아요. 그러다가 아이들이 학교에서 배워야만 풀 수 있는 주제가 나올 때 잠시 멈추고 연산/사고력 문제집을 풀게 하는 것이 좋습니다. 윗 단계의 도형 학습을 수월하게 진행하려면 연산 학습과 사고력 학습도 같이 진행하는 것이 좋기 때문입니다.

질문 5 플라토만으로 도형 학습을 다 했다고 할 수 있을까요? 너무 쉬운 문제만 푸는 게 아닐까 불안해요.

플라토는 분명 쉬운 교재이지만 초등 수학 수준에 필요한 난이도의 도형 문항은 모두 수록되어 있답니다. 하지만 아이들에 따라 도형 학습에 재미를 붙이는 단계에서 좀 더 수준 높은 문제로 공간 감각과 사고력을 키우고 싶을 수도 있지요. 이런 경우 사고력수학 교재의 도형 영역으로 좀 더 심화된 학습을 하는 것을 추천합니다. 또한 우리 플라토도 좀 더 확장된 도형 학습을 필요로 하는 아이들을 위한 심화 교재를 준비하고 있으니 기대해주세요!

플라토 전체 커리

교재		S(6세)	P(7세)	A(초등학교 1학년)
1권 평면규칙	1주차	점과 선	도형 그리기	점과 선의 수
	2주차	똑같은 모양	같은 도형	여러 가지 도형
	3주차	도형 세기	도형 세기	도형 세기
	4주차	도형 규칙	도형 규칙	도형 규칙
2권 도형조작	1주차	길이 비교	같은 길이	넓이 비교
	2주차	모양 붙이기	세모 붙이기	패턴블록
	3주차	모양 자르기	네모 붙이기	도형 돌리기
	4주차	거울과 위치	거울에 비친 도형	모양 만들기
3권 입체설계	1주차	입체 모양 관찰	입체도형 관찰	입체도형 연구
	2주차	블록 모양 만들기	블록 모양 만들기	여러 가지 입체
	3주차	쌓기나무	쌓기나무	쌓기나무 세기
	4주차	입체도형 세기	층층 쌓기	입체도형 추리
4권 공간지각	1주차	잘라내기	구멍난 종이	구멍난 종이
	2주차	종이 접기	종이 접기	접고 잘라내기
	3주차	투명 종이 겹치기	여러 방향 관찰	여러 방향 관찰
	4주차	모양 겹치기	도형 겹치기	겹친 실루엣

B(초등학교 2학년)	C(초등학교 3학년)	D(초등학교 4학년)	E(초등학교 5학년)	F(초등학교 6학년)
원과 다각형	직선과 각	각도기와 각	다각형의 둘레	원주와 원주율
도형 그리기	직각이 있는 도형	삼각형	합동	원을 이용한 길이
도형 세기	도형 그리기	수직과 평행	선대칭	원의 넓이
점판 그리기	패턴 무늬	다각형	점대칭	원을 이용한 넓이
길이 재기	밀기와 뒤집기	도형의 각	직사각형의 넓이	직육면체의 겉넓이
칠교판	돌리기	삼각형의 성질	평행사변형, 삼각형의 넓이	직육면체의 부피(1)
길이의 합과 차	도형의 이동	사각형의 성질	사다리꼴, 마름모의 넓이	직육면체의 부피(2)
모양 만들기	원과 길이	선 긋기와 각	다각형의 넓이	원기둥의 겉넓이와 부피
입체도형 연구	쌓기나무 그리기	입체 찍기	직육면체	각기둥
본뜬 모양	쌓기나무 세기	입체도형 포장	직육면체의 전개도	각뿔
쌓기나무 발자국	입체의 부피	쌓기나무 포장	전개도 그리기	전개도
쌓기나무 세기	큐브 블록	포장 종이 잇기	전개도와 대각선	원기둥, 원뿔, 구
색종이 공예	색종이 공예	점의 이동	점의 이동	쌓기나무의 수
여러 방향 쌓기	구멍난 종이	모양과 점의 이동	모양과 점의 이동	위, 앞, 옆 모양
투명 종이 겹치기	여러 방향 관찰	같은 모양, 다른 모양	주사위	위, 앞, 옆과 수
그림자 추리	색종이 겹치기	정다각형을 붙인 모양	뚜껑이 없는 상자	큐브 연결

이 책의
목차

1 주차

원주와 원주율

1일 원주

✏️ 원주를 모두 찾아 따라 그려 보시오.

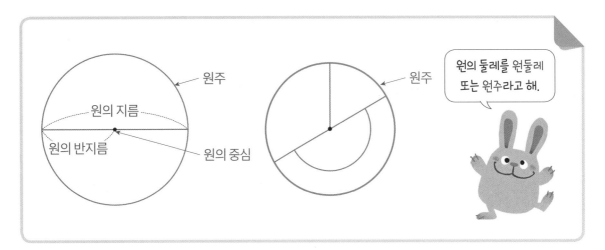

1

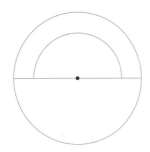

2

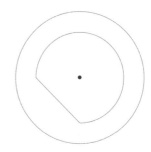

3

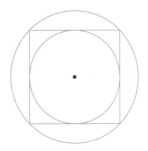

4

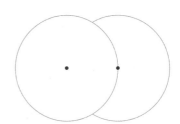

5

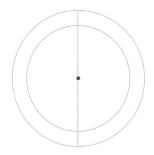

6

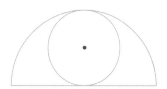

7

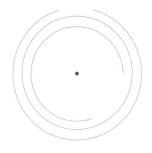

8

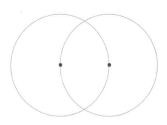

9

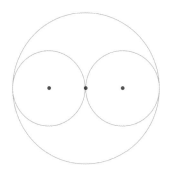

10

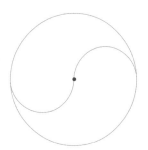

✏️ (원주)÷(지름)을 구해 □ 안에 써넣으시오.

지름에 대한 원주의 비를 원주율이라 하고, 원주율은 원의 크기와 관계없이 일정합니다.
원주율을 소수로 나타내면 **3.1415926535897932**……와 같이 끝없이 써야 합니다.

원주: **21.98** cm

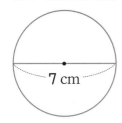

7 cm

(원주)÷(지름)＝(원주율)
21.98÷7＝3.14

원주: **12.56** cm

2 cm

(원주)÷(지름)＝(원주율)
12.56÷4＝3.14

원주율을 소수로 나타내면
끝없이 써야 해서 간단히
$3, 3.1, 3.14, 3\frac{1}{7}$ 등으로 나타내.

1 원주: **15.7** cm

5 cm

2 원주: **25.12** cm

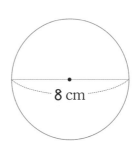

8 cm

3 원주: 18.84 cm

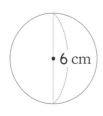

• 6 cm

4 원주: 43.96 cm

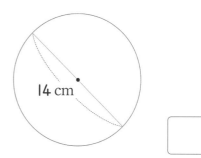

14 cm

5 원주: 31.4 cm

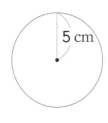

5 cm

6 원주: 56.52 cm

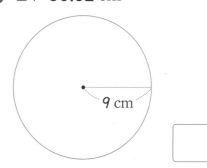

9 cm

7 원주: 62.8 cm

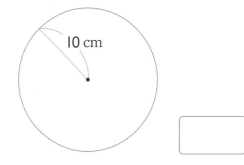

10 cm

8 원주: 37.68 cm

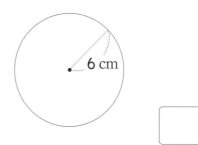

6 cm

원주 구하기

✏️ 원주를 구해 ☐ 안에 써넣으시오. (원주율: **3.14**)

(원주) ÷ (지름) = (원주율)이므로
(원주) ÷ 6 = 3.14, (원주) = 6 × 3.14 = 18.84(cm)
➡ (원주) = (지름) × (원주율)

주어진 원주율이 **3.14**이므로
(원주) = (지름) × **3.14**

1

5 cm

☐ cm

2

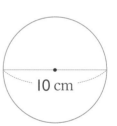

10 cm

☐ cm

3

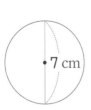

7 cm

☐ cm

4

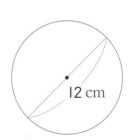

12 cm

☐ cm

5

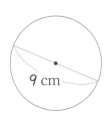

9 cm

□ cm

6

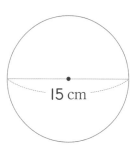

15 cm

□ cm

7

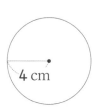

4 cm

□ cm

8

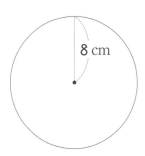

8 cm

□ cm

9

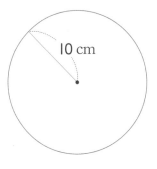

10 cm

□ cm

10

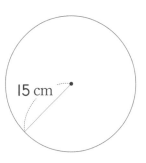

15 cm

□ cm

바퀴를 주어진 바퀴 수만큼 굴렸습니다. 바퀴가 굴러간 거리를 □ 안에 써넣으시오.

(원주율: 3.1)

3바퀴

9 cm

(원주)＝(지름)×(원주율)이므로
(원주)＝**9**×**3.1**＝**27.9**(cm)
3바퀴 굴렸으므로 바퀴가 굴러간 거리는
27.9×**3**＝**83.7**(cm)

한 바퀴 굴린 거리는
원주와 같고,
두 바퀴 굴린 거리는
원주의 **2**배와 같아.

1 2바퀴

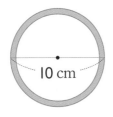

10 cm

☐ cm

2 5바퀴

5 cm

☐ cm

3 3바퀴

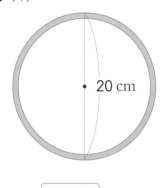

20 cm

☐ cm

4 4바퀴

6 cm

☐ cm

5 3바퀴

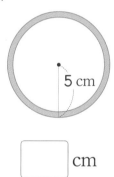

5 cm

☐ cm

6 5바퀴

4 cm

☐ cm

7 2바퀴

6 cm

☐ cm

8 3바퀴

7 cm

☐ cm

✏️ 반원 모양의 선입니다. 길이를 구해 ☐ 안에 써넣으시오. (원주율: 3)

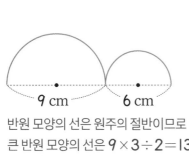

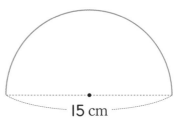

반원 모양의 선은 원주의 절반이므로
큰 반원 모양의 선은 $9 \times 3 \div 2 = 13.5$(cm)
작은 반원 모양의 선은 $6 \times 3 \div 2 = 9$(cm)
전체 선의 길이는 $13.5 + 9 = 22.5$(cm)

반원 모양의 선은 원주의 절반이므로
선의 길이는 $15 \times 3 \div 2 = 22.5$(cm)

반원의 지름의 합이
같으면 반원 모양의
선의 길이도 같아.

1

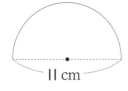

☐ cm

2

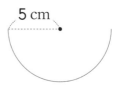

☐ cm

3

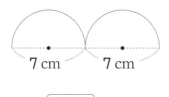

7 cm   7 cm

☐ cm

4

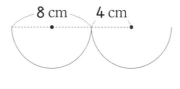

8 cm   4 cm

☐ cm

5

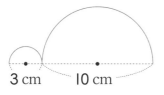

3 cm   10 cm

☐ cm

6

4.5 cm 4 cm

☐ cm

7

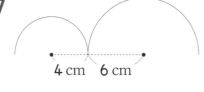

4 cm   6 cm

☐ cm

8

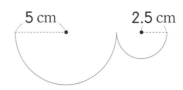

5 cm   2.5 cm

☐ cm

✏️ (원주)÷(지름)을 구해 ☐ 안에 써넣으시오.

1 원주: 18.84 cm

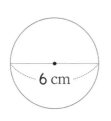

6 cm

☐

2 원주: 21.98 cm

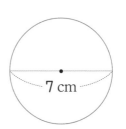

7 cm

☐

✏️ 원주를 구해 ☐ 안에 써넣으시오. (원주율: 3.1)

3

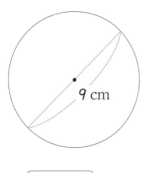

9 cm

☐ cm

4

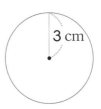

3 cm

☐ cm

✏️ 바퀴를 주어진 바퀴 수만큼 굴렸습니다. 바퀴가 굴러간 거리를 ☐ 안에 써넣으시오.

(원주율: 3)

5 3바퀴

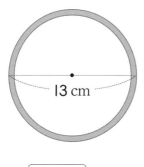

13 cm

☐ cm

6 6바퀴

3 cm

☐ cm

✏️ 반원 모양의 선입니다. 길이를 구해 ☐ 안에 써넣으시오. (원주율: 3)

7

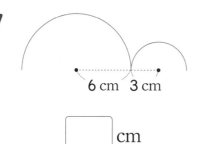

6 cm 3 cm

☐ cm

8

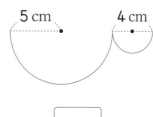

5 cm   4 cm

☐ cm

2 주차

원을 이용한 길이

지름, 반지름 구하기(1)

✏️ ☐ 안에 알맞은 수를 써넣으시오. (원주율: 3.1)

원주: 27.9 cm

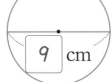

9 cm

(원주)＝(지름)×(원주율)이므로
27.9＝☐×3.1, ☐＝27.9÷3.1,
☐＝9(cm)

원주: 24.8 cm

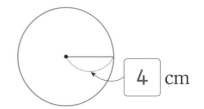

4 cm

(원주)＝(지름)×(원주율)이므로
24.8＝☐×3.1, ☐＝24.8÷3.1, ☐＝8(cm)
지름이 8 cm이므로 반지름은 4 cm

원주를 구하는 식에서
지름을 ☐로 두고 풀어.

1 원주: 21.7 cm

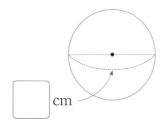

☐ cm

2 원주: 15.5 cm

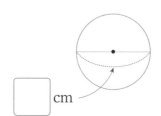

☐ cm

3 원주: 34.1 cm

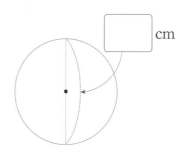

cm

4 원주: 62 cm

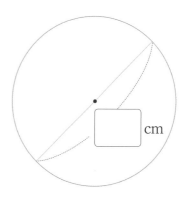

cm

5 원주: 18.6 cm

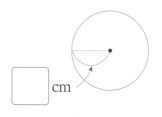

cm

6 원주: 31 cm

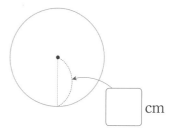

cm

7 원주: 68.2 cm

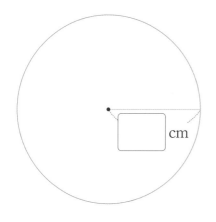

cm

8 원주: 49.6 cm

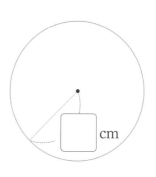

cm

2일 지름, 반지름 구하기(2)

✏️ ☐ 안에 알맞은 수를 써넣으시오. (원주율: 3)

큰 원의 원주: 24 cm

(원주)＝(지름)×(원주율)이므로
큰 원의 지름은 24＝☐×3, ☐＝8(cm)
(큰 원의 반지름)＝(작은 원의 지름)＝4(cm)
작은 원의 반지름은 2 cm

구하려는 길이가 무엇인지 파악해.

2 cm

1 큰 원의 원주: 18 cm

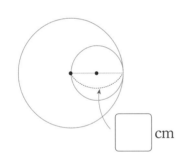

cm

2 큰 원의 원주: 42 cm

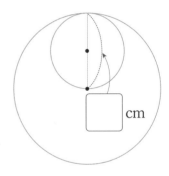

cm

3 큰 원의 원주: 48 cm

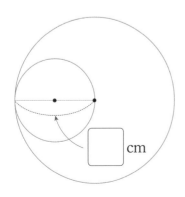

cm

4 큰 원의 원주: 60 cm

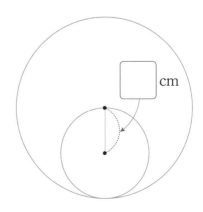

cm

5 큰 원의 원주: 24 cm

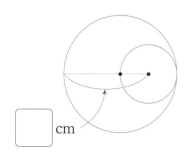

◻ cm

6 큰 원의 원주: 36 cm

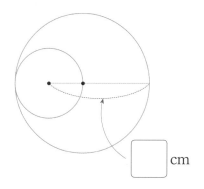

◻ cm

7 작은 원의 원주: 12 cm

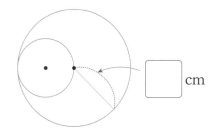

◻ cm

8 작은 원의 원주: 15 cm

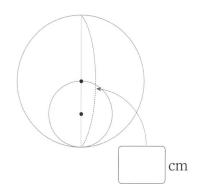

◻ cm

9 작은 원의 원주: 18 cm

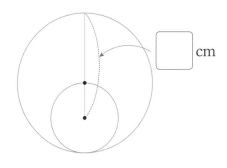

◻ cm

10 작은 원의 원주: 24 cm

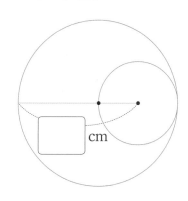

◻ cm

✏️ 주어진 정사각형의 둘레와 원주가 같은 원을 그려 보시오. (원주율: 3)

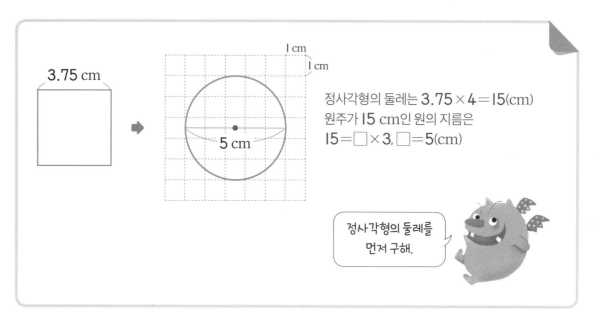

정사각형의 둘레는 $3.75 \times 4 = 15$(cm)

원주가 15 cm인 원의 지름은

$15 = \square \times 3$, $\square = 5$(cm)

정사각형의 둘레를
먼저 구해.

1

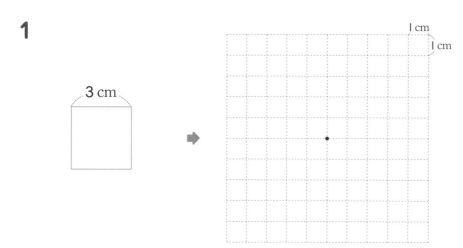

2

5.25 cm

1 cm
1 cm

3

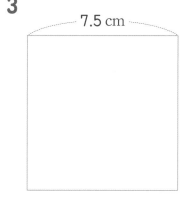

7.5 cm

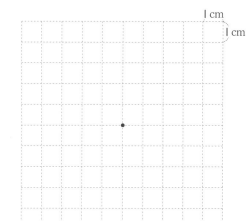

1 cm
1 cm

4

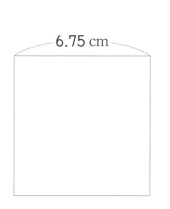

6.75 cm

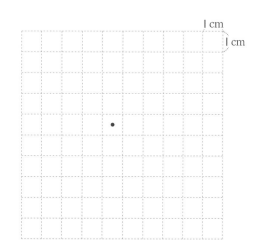

1 cm
1 cm

격자 안에 그려진 도형의 둘레를 구해 ☐ 안에 써넣으시오. (원주율: **3.14**)

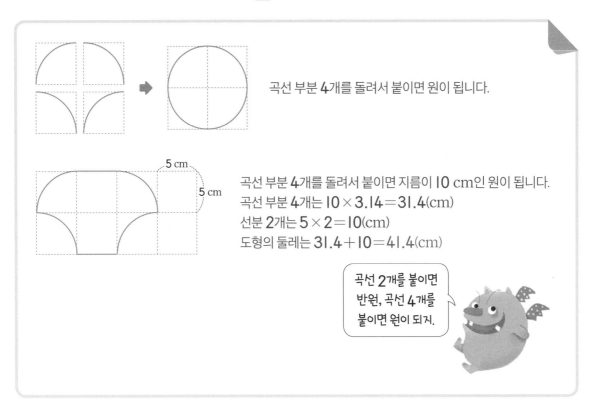

곡선 부분 **4**개를 돌려서 붙이면 원이 됩니다.

곡선 부분 **4**개를 돌려서 붙이면 지름이 **10** cm인 원이 됩니다.
곡선 부분 **4**개는 $10 \times 3.14 = 31.4$(cm)
선분 **2**개는 $5 \times 2 = 10$(cm)
도형의 둘레는 $31.4 + 10 = 41.4$(cm)

곡선 **2**개를 붙이면
반원, 곡선 **4**개를
붙이면 원이 되지.

1
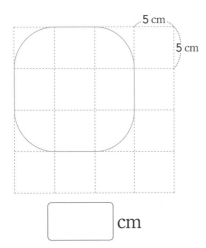

☐ cm

2
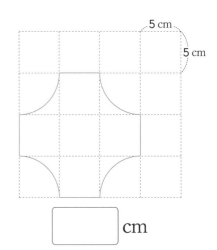

☐ cm

3

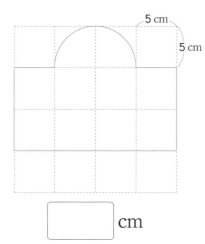

5 cm

5 cm

[ ] cm

4

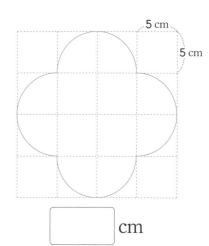

5 cm

5 cm

[ ] cm

5

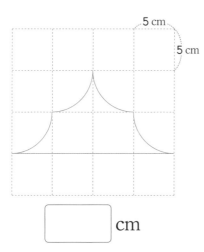

5 cm

5 cm

[ ] cm

6

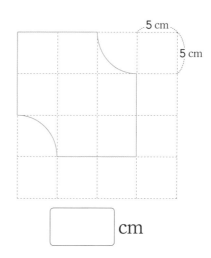

5 cm

5 cm

[ ] cm

7

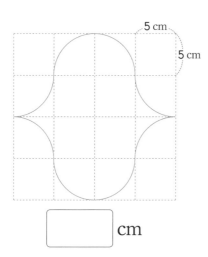

5 cm

5 cm

[ ] cm

8

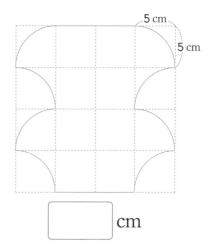

5 cm

5 cm

[ ] cm

여러 가지 도형의 둘레

✏️ 곡선 부분이 원의 일부분인 도형의 둘레를 구해 ☐ 안에 써넣으시오. (원주율: 3)

8 cm

8 cm

곡선 부분을 이동해서 붙이면 지름이 8 cm인 원이므로
도형의 둘레는 (원주)+(선분 2개의 길이)입니다.
$(8×3)+(8×2)=40$(cm)

곡선 부분을 이동하면
원을 만들 수 있어.

1

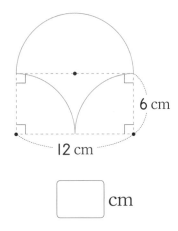

6 cm

12 cm

☐ cm

2

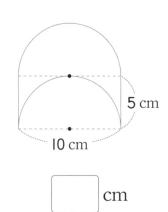

5 cm

10 cm

☐ cm

3

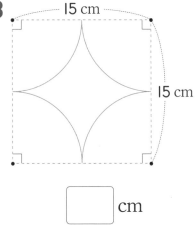

15 cm

15 cm

☐ cm

4

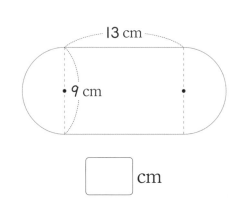

13 cm

9 cm

☐ cm

5

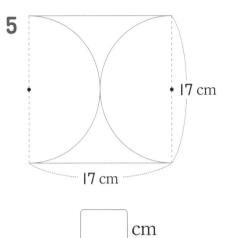

17 cm

17 cm

☐ cm

6

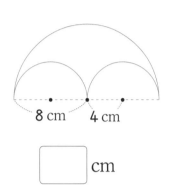

8 cm   4 cm

☐ cm

7

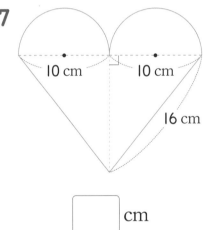

10 cm   10 cm

16 cm

☐ cm

8

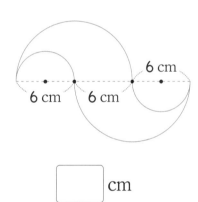

6 cm

6 cm   6 cm

☐ cm

9

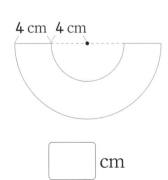

4 cm   4 cm

☐ cm

10

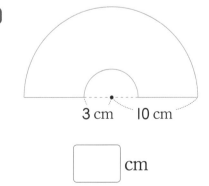

3 cm   10 cm

☐ cm

✏️ ☐ 안에 알맞은 수를 써넣으시오. (원주율: 3)

1 원주: **75** cm

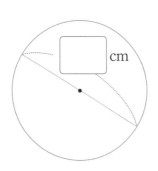

☐ cm

2 원주: **102** cm

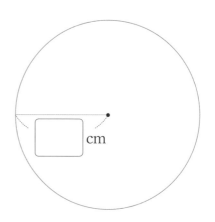

☐ cm

✏️ ☐ 안에 알맞은 수를 써넣으시오. (원주율: 3.14)

3 큰 원의 원주: **37.68** cm

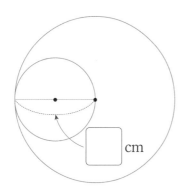

☐ cm

4 작은 원의 원주: **25.12** cm

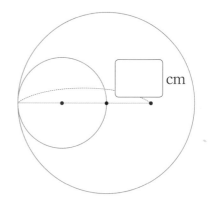

☐ cm

2주차: 원을 이용한 길이 **35**

✏️ ☐ 안에 알맞은 수를 써넣으시오. (원주율: 3)

5

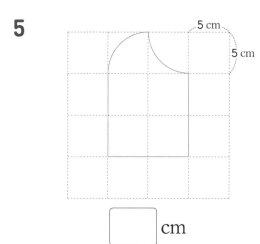

5 cm

5 cm

☐ cm

6

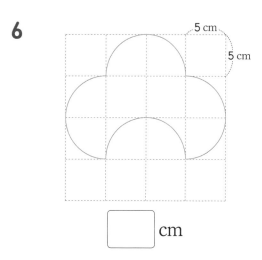

5 cm

5 cm

☐ cm

✏️ 곡선 부분이 원의 일부분인 도형의 둘레를 구해 ☐ 안에 써넣으시오. (원주율: 3.1)

7

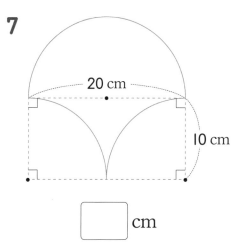

20 cm

10 cm

☐ cm

8

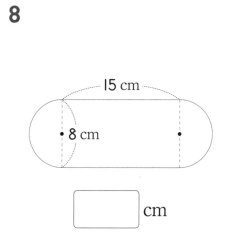

15 cm

8 cm

☐ cm

3 주차

원의 넓이

원의 넓이(1)

✏️ 원의 넓이를 구해 ☐ 안에 써넣으시오. (원주율: 3)

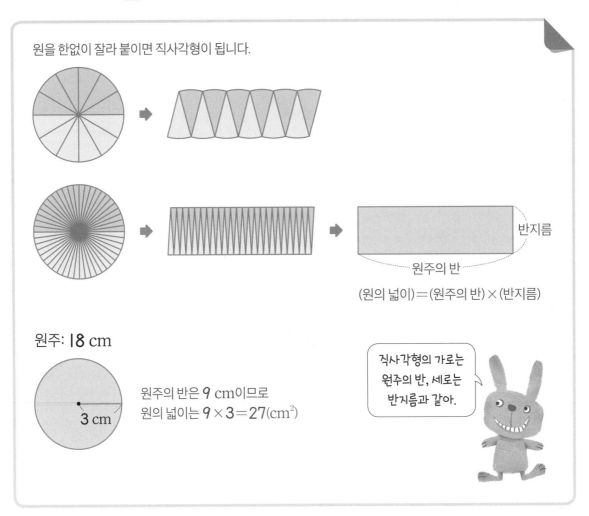

원을 한없이 잘라 붙이면 직사각형이 됩니다.

반지름

원주의 반

(원의 넓이)＝(원주의 반)×(반지름)

원주: 18 cm

원주의 반은 9 cm이므로
원의 넓이는 $9 \times 3 = 27(cm^2)$

3 cm

직사각형의 가로는 원주의 반, 세로는 반지름과 같아.

---

1 원주: 30 cm

5 cm

☐ cm^2

2 원주: 24 cm

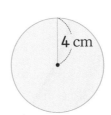

4 cm

☐ cm^2

3 원주: 60 cm

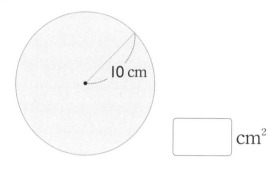

10 cm

◻ cm²

4 원주: 42 cm

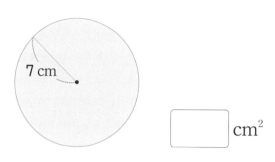

7 cm

◻ cm²

5 원주: 36 cm

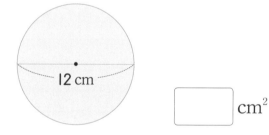

12 cm

◻ cm²

6 원주: 54 cm

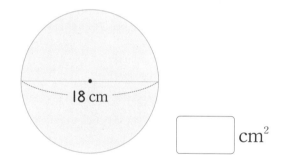

18 cm

◻ cm²

7 원주: 48 cm

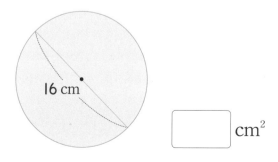

16 cm

◻ cm²

8 원주: 72 cm

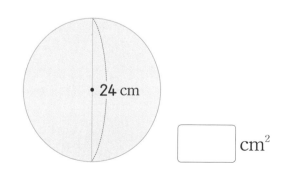

24 cm

◻ cm²

원의 넓이(2)

✏️ 원의 넓이를 구해 ☐ 안에 써넣으시오. (원주율: 3.1)

(원의 넓이)＝(원주의 반)×(반지름)＝{(지름)×(원주율)×$\frac{1}{2}$}×(반지름)

➡ (원의 넓이)＝(반지름)×(반지름)×(원주율)

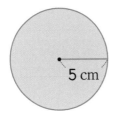

$5×5×3.1＝77.5(cm^2)$

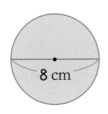

반지름이 4 cm이므로
$4×4×3.1＝49.6(cm^2)$

지름은 (반지름)×2니까

(지름)×$\frac{1}{2}$＝(반지름)이야.

1

☐ cm²

2

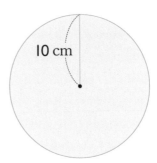

10 cm

☐ cm²

3

6 cm

[ ] cm^2

4

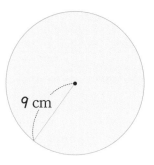

9 cm

[ ] cm^2

5

4 cm

[ ] cm^2

6

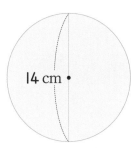

14 cm

[ ] cm^2

7

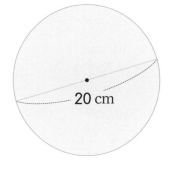

20 cm

[ ] cm^2

8

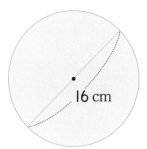

16 cm

[ ] cm^2

원의 부분의 넓이

✏️ 원의 일부분입니다. 넓이를 구해 ☐ 안에 써넣으시오. (원주율: 3)

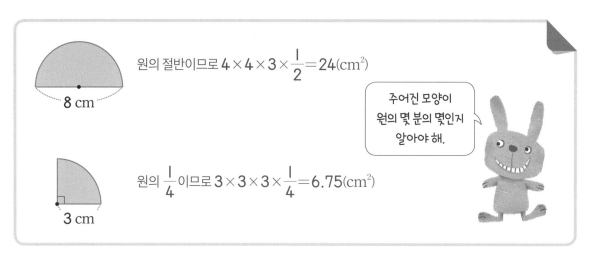

원의 절반이므로 $4 \times 4 \times 3 \times \dfrac{1}{2} = 24 (cm^2)$

원의 $\dfrac{1}{4}$ 이므로 $3 \times 3 \times 3 \times \dfrac{1}{4} = 6.75 (cm^2)$

주어진 모양이
원의 몇 분의 몇인지
알아야 해.

1

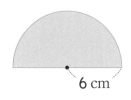

6 cm

☐ cm^2

2

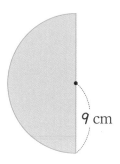

9 cm

☐ cm^2

3

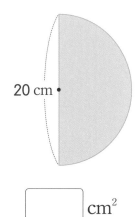

20 cm

☐ cm^2

4

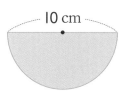

10 cm

☐ cm^2

5

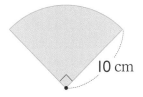

10 cm

☐ cm²

6

8 cm

☐ cm²

7

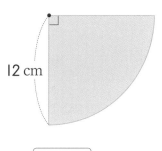

12 cm

☐ cm²

8

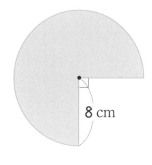

8 cm

☐ cm²

9

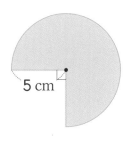

5 cm

☐ cm²

10

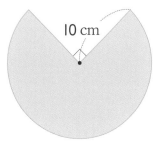

10 cm

☐ cm²

정사각형 안의 원

✏️ 정사각형 안에 크기가 같은 원을 그렸습니다. 색칠한 원의 넓이의 합을 구해 ☐ 안에 써 넣으시오. (원주율: 3.1)

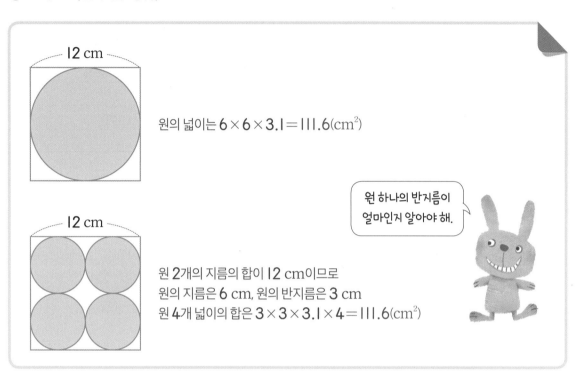

12 cm

원의 넓이는 $6 \times 6 \times 3.1 = 111.6 (\text{cm}^2)$

원 하나의 반지름이 얼마인지 알아야 해.

12 cm

원 2개의 지름의 합이 12 cm이므로
원의 지름은 6 cm, 원의 반지름은 3 cm
원 4개 넓이의 합은 $3 \times 3 \times 3.1 \times 4 = 111.6 (\text{cm}^2)$

1

8 cm

☐ cm²

2

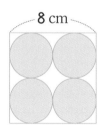

8 cm

☐ cm²

3

10 cm

☐ cm²

4

10 cm

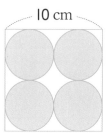

☐ cm²

5

12 cm

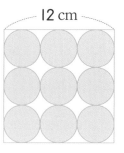

☐ cm²

6

12 cm

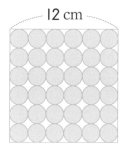

☐ cm²

7

16 cm

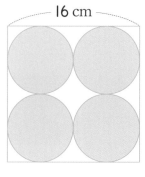

☐ cm²

8

16 cm

☐ cm²

넓이가 큰 도형

✏️ 넓이가 가장 큰 도형을 찾아 ○표 하시오. (원주율: 3)

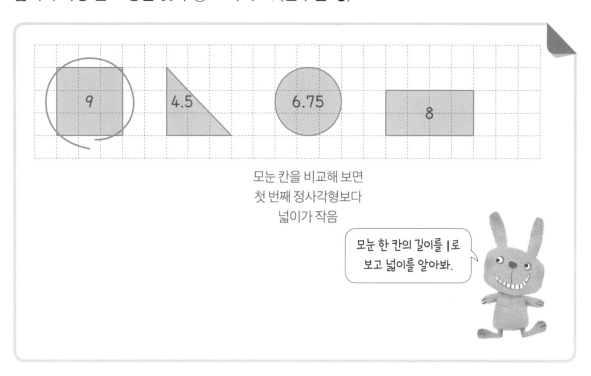

모눈 칸을 비교해 보면
첫 번째 정사각형보다
넓이가 작음

모눈 한 칸의 길이를 1로
보고 넓이를 알아봐.

1

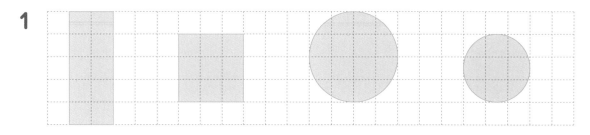

2

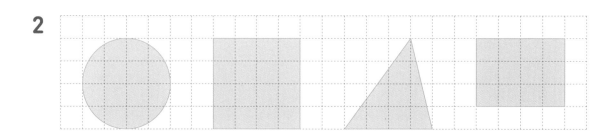

3

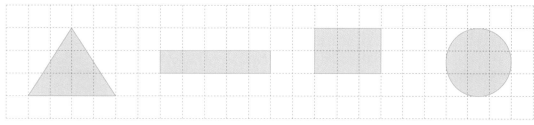

4

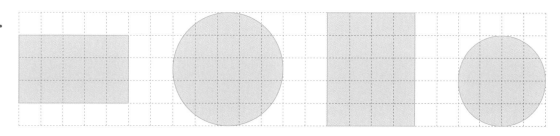

5

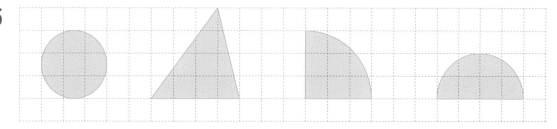

6

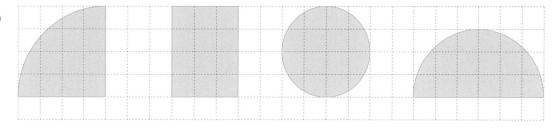

✎ 원의 넓이를 구해 ☐ 안에 써넣으시오. (원주율: $3\frac{1}{7}$)

1

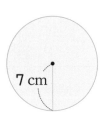

7 cm

☐ cm²

2

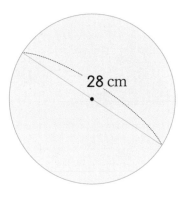

28 cm

☐ cm²

✎ 원의 일부분입니다. 넓이를 구해 ☐ 안에 써넣으시오. (원주율: 3.1)

3

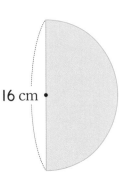

16 cm

☐ cm²

4

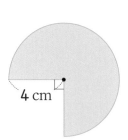

4 cm

☐ cm²

정사각형 안에 크기가 같은 원을 그렸습니다. 색칠한 원의 넓이의 합을 구해 ☐ 안에 써 넣으시오. (원주율: 3)

5

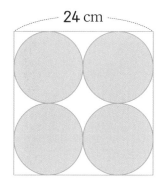

24 cm

☐ cm²

6

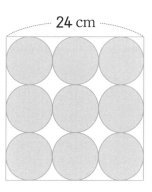

24 cm

☐ cm²

 넓이가 가장 큰 도형을 찾아 ○표 하시오. (원주율: 3)

7

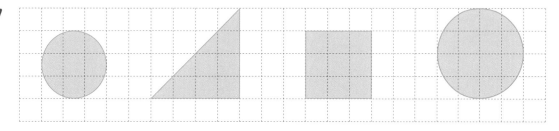

4 주차

원을 이용한 넓이

무늬의 넓이

한 변이 **2 cm**인 정사각형 안에 무늬를 그렸습니다. 색칠한 부분의 넓이의 합이 **4 cm²**가 되는 두 모양에 각각 ○표 하시오.

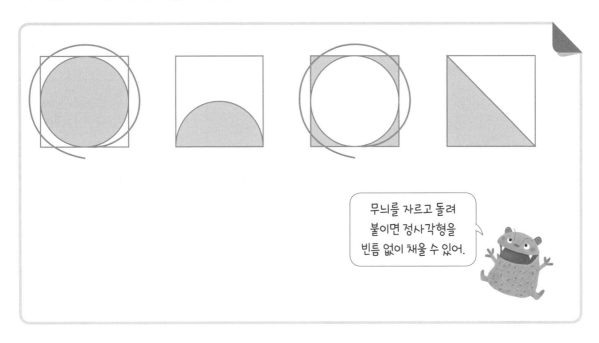

> 무늬를 자르고 돌려 붙이면 정사각형을 빈틈 없이 채울 수 있어.

1

 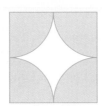  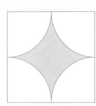

2

3

4

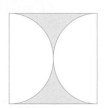 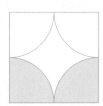  

5

   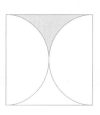

6

격자 안 도형의 넓이

✏️ 색칠한 도형의 넓이를 구해 ☐ 안에 써넣으시오. (원주율: **3**)

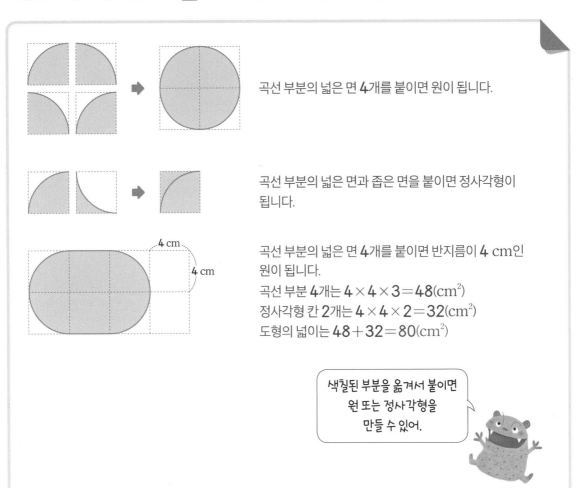

곡선 부분의 넓은 면 **4**개를 붙이면 원이 됩니다.

곡선 부분의 넓은 면과 좁은 면을 붙이면 정사각형이 됩니다.

곡선 부분의 넓은 면 **4**개를 붙이면 반지름이 **4** cm인 원이 됩니다.
곡선 부분 **4**개는 $4 \times 4 \times 3 = 48 (\text{cm}^2)$
정사각형 칸 **2**개는 $4 \times 4 \times 2 = 32 (\text{cm}^2)$
도형의 넓이는 $48 + 32 = 80 (\text{cm}^2)$

색칠된 부분을 옮겨서 붙이면 원 또는 정사각형을 만들 수 있어.

1

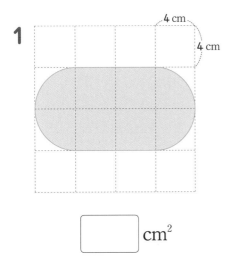

☐ cm^2

2

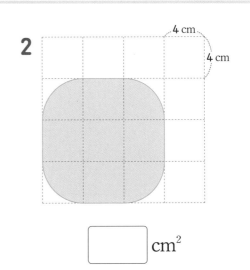

☐ cm^2

3

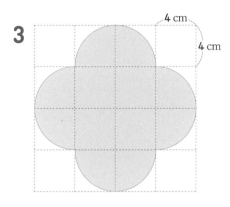

4 cm
4 cm

 cm²

4

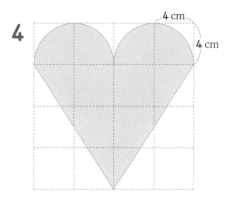

4 cm
4 cm

cm²

5

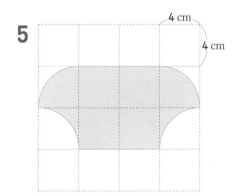

4 cm
4 cm

cm²

6

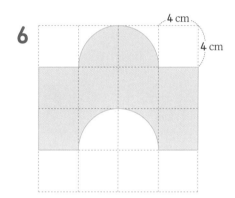

4 cm
4 cm

cm²

7

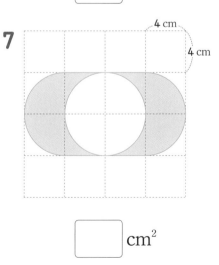

4 cm
4 cm

cm²

8

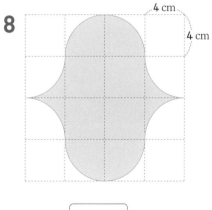

4 cm
4 cm

cm²

3_일 도형 이동하기

✏️ 색칠한 도형의 넓이를 구해 ☐ 안에 써넣으시오. (원주율: 3.1)

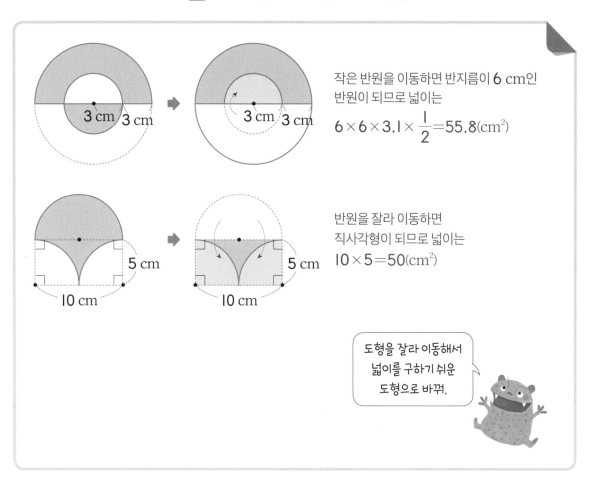

작은 반원을 이동하면 반지름이 6 cm인 반원이 되므로 넓이는

$$6 \times 6 \times 3.1 \times \frac{1}{2} = 55.8 (cm^2)$$

반원을 잘라 이동하면 직사각형이 되므로 넓이는

$$10 \times 5 = 50 (cm^2)$$

도형을 잘라 이동해서 넓이를 구하기 쉬운 도형으로 바꿔.

1

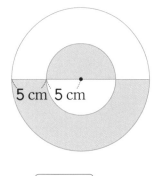

☐ cm²

2

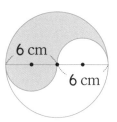

☐ cm²

3

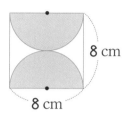

8 cm

8 cm

□ cm²

4

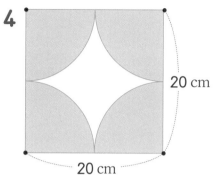

20 cm

20 cm

□ cm²

5

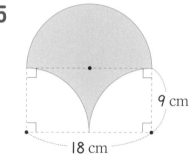

9 cm

18 cm

□ cm²

6

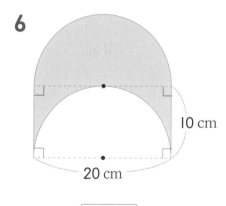

10 cm

20 cm

□ cm²

7

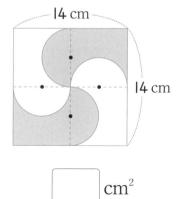

14 cm

14 cm

□ cm²

8

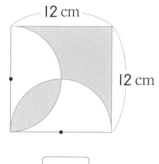

12 cm

12 cm

□ cm²

✏️ 색칠한 도형의 넓이를 구해 ☐ 안에 써넣으시오. (원주율: 3)

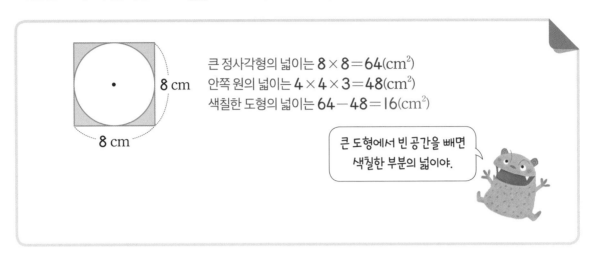

큰 정사각형의 넓이는 $8 \times 8 = 64 (cm^2)$
안쪽 원의 넓이는 $4 \times 4 \times 3 = 48 (cm^2)$
색칠한 도형의 넓이는 $64 - 48 = 16 (cm^2)$

> 큰 도형에서 빈 공간을 빼면
> 색칠한 부분의 넓이야.

1

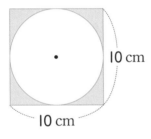

10 cm

10 cm

☐ cm^2

2

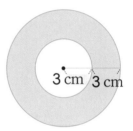

3 cm / 3 cm

☐ cm^2

3

4 cm

2 cm

☐ cm^2

4

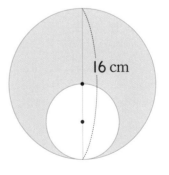

16 cm

☐ cm^2

5

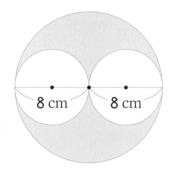

8 cm   8 cm

$\boxed{}$ cm^2

6

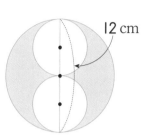

12 cm

$\boxed{}$ cm^2

7

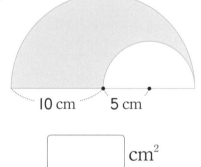

10 cm   5 cm

$\boxed{}$ cm^2

8

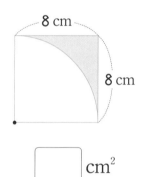

8 cm

8 cm

$\boxed{}$ cm^2

9

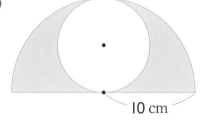

10 cm

$\boxed{}$ cm^2

10

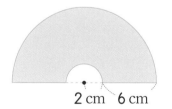

2 cm   6 cm

$\boxed{}$ cm^2

5일 도형 이동하여 빼기

✏️ 색칠한 도형의 넓이를 구해 ☐ 안에 써넣으시오. (원주율: 3)

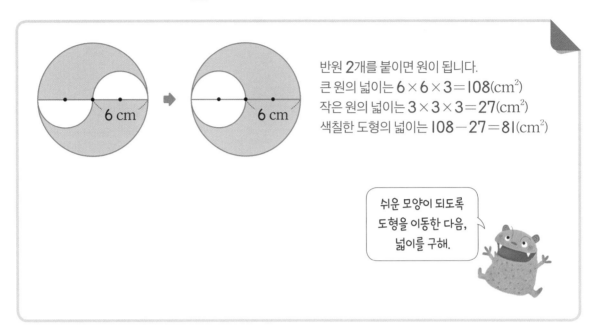

반원 2개를 붙이면 원이 됩니다.
큰 원의 넓이는 $6 \times 6 \times 3 = 108(cm^2)$
작은 원의 넓이는 $3 \times 3 \times 3 = 27(cm^2)$
색칠한 도형의 넓이는 $108 - 27 = 81(cm^2)$

쉬운 모양이 되도록
도형을 이동한 다음,
넓이를 구해.

1

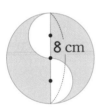

8 cm

☐ cm²

2

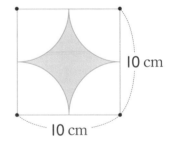

10 cm

10 cm

☐ cm²

3

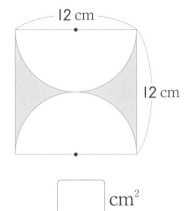

12 cm

12 cm

[ ] cm²

4

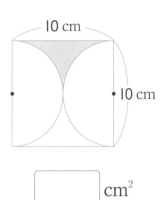

10 cm

10 cm

[ ] cm²

5

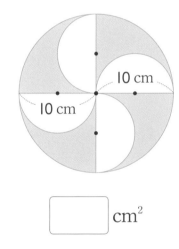

10 cm

10 cm

[ ] cm²

6

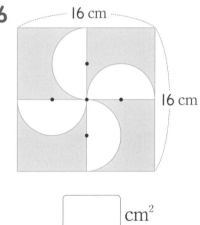

16 cm

16 cm

[ ] cm²

7

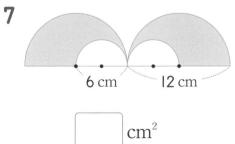

6 cm   12 cm

[ ] cm²

8

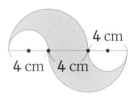

4 cm

4 cm   4 cm

[ ] cm²

✏️ 한 변이 **2** cm인 정사각형 안에 무늬를 그렸습니다. 색칠한 부분의 넓이의 합이 **4** cm²
가 되는 두 모양에 각각 ○표 하시오.

1

✏️ 색칠한 도형의 넓이를 구해 ☐ 안에 써넣으시오. (원주율: **3**)

2

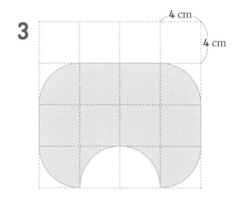

☐ cm²

3

☐ cm²

✏️ 색칠한 도형의 넓이를 구해 ⬜ 안에 써넣으시오. (원주율: 3)

4

16 cm

16 cm

⬜ cm²

5

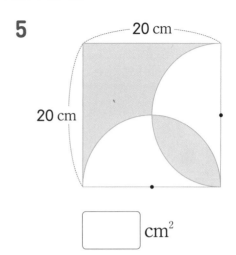

20 cm

20 cm

⬜ cm²

✏️ 색칠한 도형의 넓이를 구해 ⬜ 안에 써넣으시오. (원주율: $3\frac{1}{7}$)

6

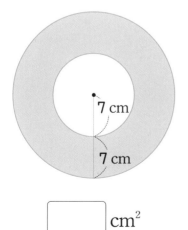

7 cm

7 cm

⬜ cm²

7

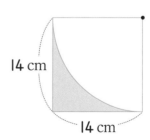

14 cm

14 cm

⬜ cm²

형성 평가

◆ 형성 평가에는 앞서 공부한 4주 차의 유형이 순서대로 나옵니다.

◆ 문제가 틀리면 몇 주 차인지 확인하여 반드시 다시 한번 복습합니다.

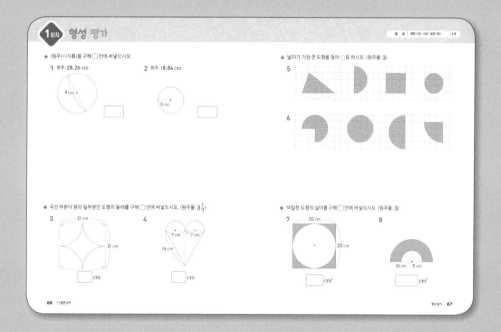

✚ (원주)÷(지름)을 구해 ☐ 안에 써넣으시오.

1 원주: 28.26 cm

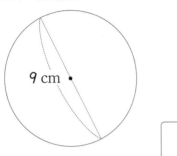

9 cm

☐

2 원주: 18.84 cm

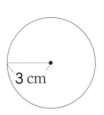

3 cm

☐

✚ 곡선 부분이 원의 일부분인 도형의 둘레를 구해 ☐ 안에 써넣으시오. (원주율: $3\frac{1}{7}$)

3

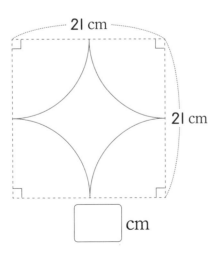

21 cm

21 cm

☐ cm

4

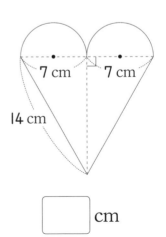

7 cm 7 cm

14 cm

☐ cm

✚ 넓이가 가장 큰 도형을 찾아 ○표 하시오. (원주율: 3)

5

6

✚ 색칠한 도형의 넓이를 구해 □ 안에 써넣으시오. (원주율: 3)

7
20 cm

20 cm

□ cm²

8

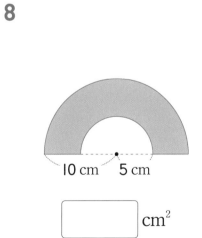

10 cm   5 cm

□ cm²

✛ 반원 모양의 선입니다. 길이를 구해 ☐ 안에 써넣으시오. (원주율: 3)

1

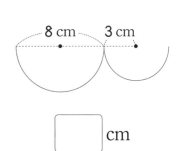

☐ cm

2

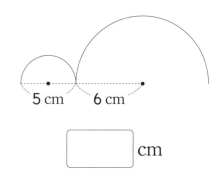

☐ cm

✛ ☐ 안에 알맞은 수를 써넣으시오. (원주율: 3.1)

3 원주: 18.6 cm

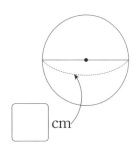

☐ cm

4 원주: 43.4 cm

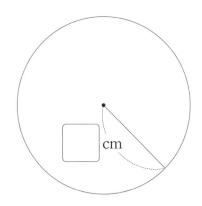

☐ cm

✚ 원의 일부분입니다. 넓이를 구해 ☐ 안에 써넣으시오. (원주율: $3\frac{1}{7}$)

5

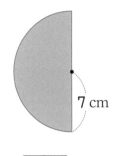

7 cm

☐ cm²

6

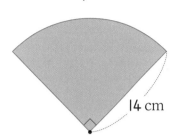

14 cm

☐ cm²

✚ 색칠한 도형의 넓이를 구해 ☐ 안에 써넣으시오. (원주율: 3)

7

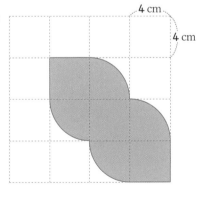

4 cm
4 cm

☐ cm²

8

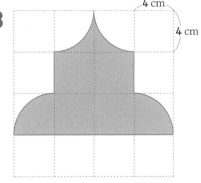

4 cm
4 cm

☐ cm²

✚ 원주를 모두 찾아 따라 그려 보시오.

1

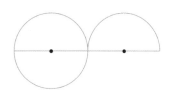

2

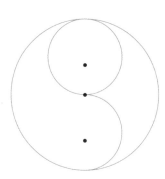

3

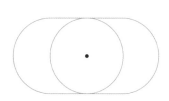

4

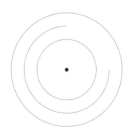

✚ 주어진 정사각형의 둘레와 원주가 같은 원을 그려 보시오. (원주율: 3)

5

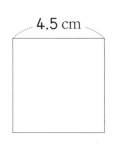

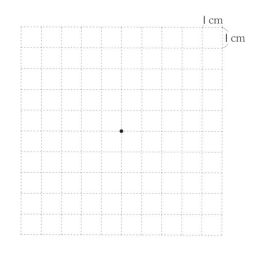

4.5 cm

1 cm
1 cm

✚ 정사각형 안에 크기가 같은 원을 그렸습니다. 색칠한 원의 넓이의 합을 구해 ☐ 안에 써
넣으시오. (원주율: **3.14**)

6

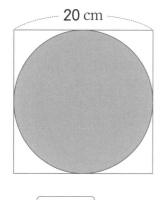

20 cm

☐ cm²

7

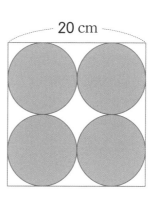

20 cm

☐ cm²

✚ 색칠한 도형의 넓이를 구해 ☐ 안에 써넣으시오. (원주율: $3\frac{1}{7}$)

8

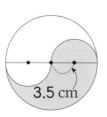

3.5 cm

☐ cm²

9

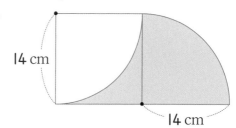

14 cm

14 cm

☐ cm²

➕ 바퀴를 주어진 바퀴 수만큼 굴렸습니다. 바퀴가 굴러간 거리를 ☐ 안에 써넣으시오.

(원주율: $3\frac{1}{7}$)

1 8바퀴

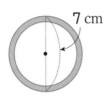

7 cm

☐ cm

2 5바퀴

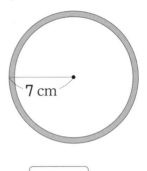

7 cm

☐ cm

➕ ☐ 안에 알맞은 수를 써넣으시오. (원주율: 3.1)

3 큰 원의 원주: **37.2** cm

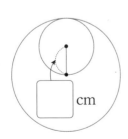

☐ cm

4 작은 원의 원주: **31** cm

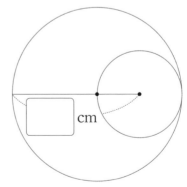

☐ cm

✚ 원의 넓이를 구해 ☐ 안에 써넣으시오. (원주율: 3.14)

5 원주: 31.4 cm

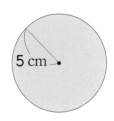

5 cm

☐ cm²

6 원주: 62.8 cm

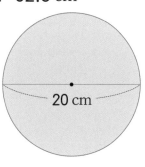

20 cm

☐ cm²

✚ 한 변이 2 cm인 정사각형 안에 무늬를 그렸습니다. 색칠한 부분의 넓이의 합이 4 cm²
가 되는 두 무늬에 각각 ◯표 하시오.

7

 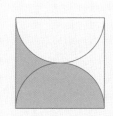  

8

  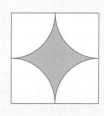 

✚ 원주를 구해 ☐ 안에 써넣으시오. (원주율: $3\frac{1}{7}$)

1

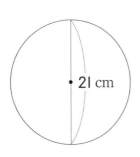

·21 cm

☐ cm

2

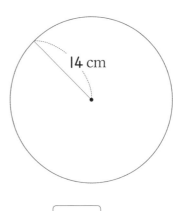

14 cm

☐ cm

✚ 격자 안에 그려진 도형의 둘레를 구해 ☐ 안에 써넣으시오. (원주율: 3.14)

3

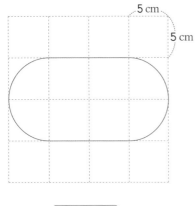

5 cm

5 cm

☐ cm

4

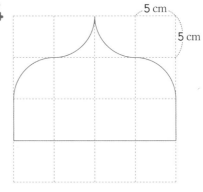

5 cm

5 cm

☐ cm

✚ 원의 넓이를 구해 ☐ 안에 써넣으시오. (원주율: 3)

5

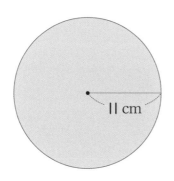

☐ cm²

6

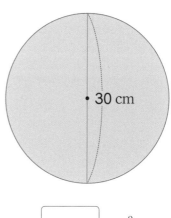

30 cm

☐ cm²

✚ 색칠한 도형의 넓이를 구해 ☐ 안에 써넣으시오. (원주율: 3)

7

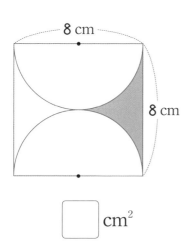

8 cm

8 cm

☐ cm²

8

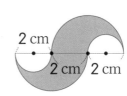

2 cm

2 cm 2 cm

☐ cm²

도형 학습의 기준

플라토

PLATO

F1

평면규칙 | 초6

정답

사고가 자라는 수학

씨투엠

도형 학습의 기준

플라토
PLATO

F1
평면규칙 | 초6

사고가 자라는 수학
웅진에

정답과 해설

1일

원주

원주를 모두 찾아 따라 그려 보시오.

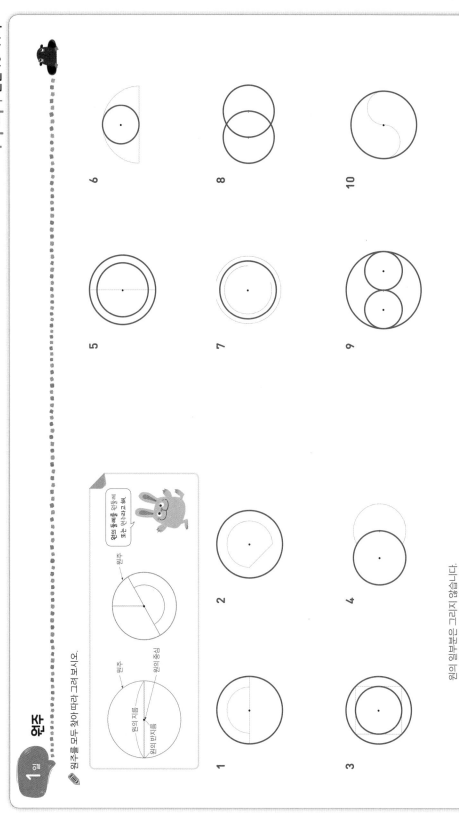

원의 일부분은 그리지 않습니다.

2일

원주율

✏️ (원주) ÷ (지름)을 구해 □ 안에 써넣으시오.

지름에 대한 원주의 비율 원주율이라 하고, 원주율은 원의 크기와 관계없이 일정합니다.
원주율을 소수로 나타내면 3.141592653589793⋯⋯와 같이 끝없이 써야 합니다.

원주: 21.98 cm

(원주) ÷ (지름) = (원주율)
21.98 ÷ 7 = 3.14

7 cm

3.14

원주: 12.56 cm

(원주) ÷ (지름) = (원주율)
12.56 ÷ 4 = 3.14

2 cm

원주율을 소수로 나타내면
끝값이 써야 돼서 간단히
3, 3.1, 3.14, 3.14.3 $\frac{1}{7}$ 등으로 나타내.

3 원주: 18.84 cm

6 cm

18.84 ÷ 6 = 3.14

3.14

4 원주: 43.96 cm

14 cm

43.96 ÷ 14 = 3.14

3.14

5 원주: 31.4 cm

5 cm

31.4 ÷ 10 = 3.14

3.14

6 원주: 56.52 cm

9 cm

56.52 ÷ 18 = 3.14

3.14

7 원주: 62.8 cm

10 cm

62.8 ÷ 20 = 3.14

3.14

8 원주: 37.68 cm

6 cm

37.68 ÷ 12 = 3.14

3.14

1 원주: 15.7 cm

5 cm

15.7 ÷ 5 = 3.14

3.14

2 원주: 25.12 cm

8 cm

25.12 ÷ 8 = 3.14

3.14

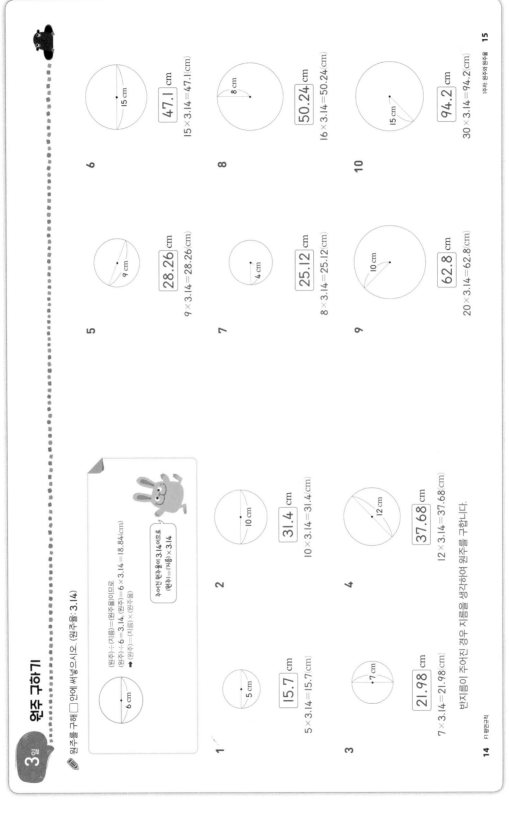

3일 원주 구하기

원주를 구해 □ 안에 써넣으시오. (원주율: 3.14)

(원주)÷(지름)=(원주율)이므로
(원주)÷6=3.14, (원주)=6×3.14=18.84(cm)
↑ (원주)=(지름)×(원주율)

주어진 원주율이 3.14이므로
(원주)=(지름)×3.14

1
5 cm

15.7 cm
5×3.14=15.7(cm)

2
10 cm

31.4 cm
10×3.14=31.4(cm)

3
7 cm

21.98 cm
7×3.14=21.98(cm)

4
12 cm

37.68 cm
12×3.14=37.68(cm)

반지름이 주어진 경우 지름을 생각하여 원주를 구합니다.

5
9 cm

28.26 cm
9×3.14=28.26(cm)

6
15 cm

47.1 cm
15×3.14=47.1(cm)

7
4 cm

25.12 cm
8×3.14=25.12(cm)

8
8 cm

50.24 cm
16×3.14=50.24(cm)

9
10 cm

62.8 cm
20×3.14=62.8(cm)

10
15 cm

94.2 cm
30×3.14=94.2(cm)

4회 바퀴 굴리기

바퀴를 주어진 바퀴 수만큼 굴렸습니다. 바퀴가 굴러간 거리를 ☐ 안에 써넣으시오.

(원주율: 3.1)

3바퀴

(원주)=(지름)×(원주율)이므로
(원주)=9×3.1=27.9(cm)
3바퀴 굴렀으므로 바퀴가 굴러간 거리는
27.9×3=83.7(cm)

9 cm

1 2바퀴

10 cm

| 62 | cm

10×3.1×2=62 cm

2 5바퀴

5 cm

| 77.5 | cm

5×3.1×5=77.5 cm

한 바퀴 굴린 거리는
원주와 같고,
두 바퀴 굴린 거리는
원주의 2배와 같아.

반지름이 주어진 경우 지름을 생각하여 원주를 구합니다.

3 3바퀴

20 cm

| 186 | cm

20×3.1×3=186(cm)

5 3바퀴

5 cm

| 93 | cm

10×3.1×3=93(cm)

7 2바퀴

6 cm

| 74.4 | cm

12×3.1×2=74.4(cm)

4 4바퀴

6 cm

| 74.4 | cm

6×3.1×4=74.4(cm)

6 5바퀴

4 cm

| 124 | cm

8×3.1×5=124(cm)

8 3바퀴

7 cm

| 130.2 | cm

14×3.1×3=130.2(cm)

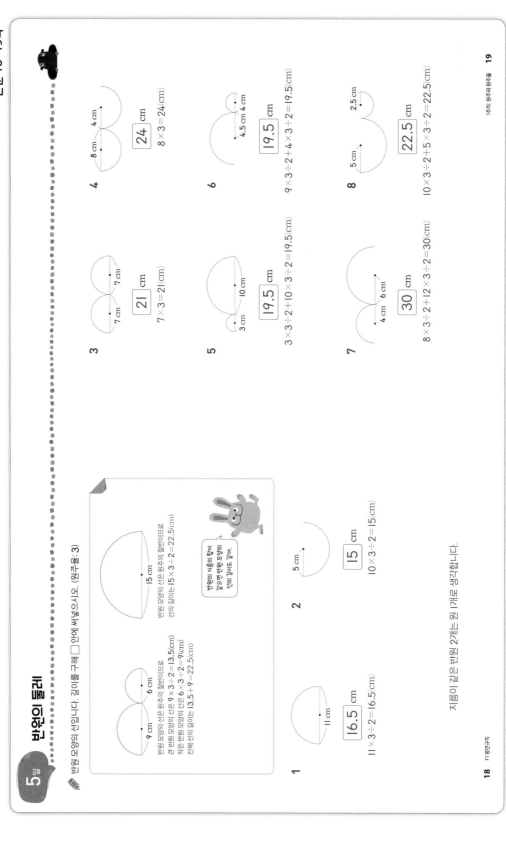

5일 반원의 둘레

✏️ 반원 모양의 선입니다. 길이를 구해 ☐ 안에 써넣으시오. (원주율: 3)

9 cm ∙ 6 cm

반원 모양의 선은 원주의 절반이므로
큰 반원 모양의 선은 9 × 3 ÷ 2 = 13.5(cm)
작은 반원 모양의 선은 6 × 3 ÷ 2 = 9(cm)
전체 선의 길이는 13.5 + 9 = 22.5(cm)

15 cm

반원 모양의 선은 원주의 절반이므로
선의 길이는 15 × 3 ÷ 2 = 22.5(cm)

반원의 지름의 합이
같으면 반원 모양의
선의 길이도 같아.

지름이 같은 반원 2개는 원 1개로 생각합니다.

1
11 cm
16.5 cm

11 × 3 ÷ 2 = 16.5(cm)

2
5 cm
15 cm

10 × 3 ÷ 2 = 15(cm)

3
7 cm ∙ 7 cm
21 cm

7 × 3 = 21(cm)

4
8 cm ∙ 4 cm
24 cm

8 × 3 = 24(cm)

5
3 cm ∙ 10 cm
19.5 cm

3 × 3 ÷ 2 + 10 × 3 ÷ 2 = 19.5(cm)

6
4.5 cm ∙ 4 cm
19.5 cm

9 × 3 ÷ 2 + 4 × 3 ÷ 2 = 19.5(cm)

7
4 cm ∙ 6 cm
30 cm

8 × 3 ÷ 2 + 12 × 3 ÷ 2 = 30(cm)

8
5 cm ∙ 2.5 cm
22.5 cm

10 × 3 ÷ 2 + 5 × 3 ÷ 2 = 22.5(cm)

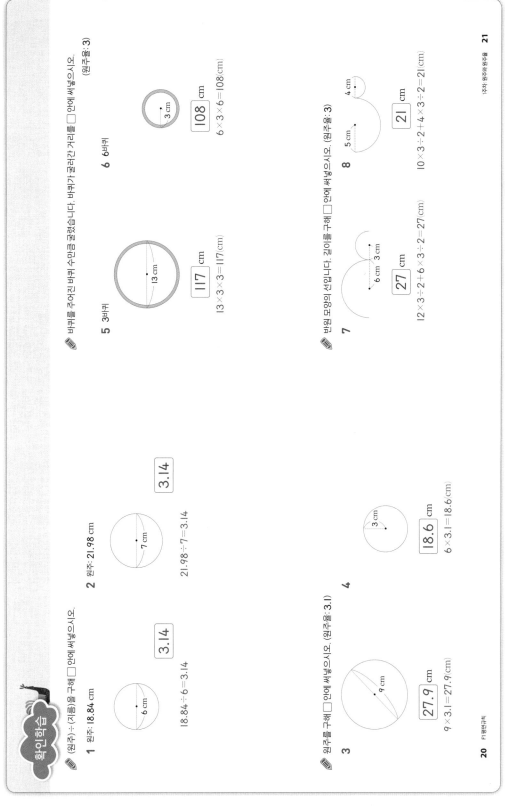

확인학습

(원주) ÷ (지름)을 구해 ▢ 안에 써넣으시오.

1 원주: 18.84 cm

6 cm

18.84 ÷ 6 = 3.14

3.14

2 원주: 21.98 cm

7 cm

21.98 ÷ 7 = 3.14

3.14

원주를 구해 ▢ 안에 써넣으시오. (원주율: 3.1)

3

9 cm

9 × 3.1 = 27.9 (cm)

27.9 cm

4

3 cm

6 × 3.1 = 18.6 (cm)

18.6 cm

바퀴를 주어진 바퀴 수만큼 굴렸습니다. 바퀴가 굴러간 거리를 ▢ 안에 써넣으시오. (원주율: 3)

5 3바퀴

13 cm

13 × 3 × 3 = 117 (cm)

117 cm

6 6바퀴

3 cm

6 × 3 × 6 = 108 (cm)

108 cm

반원 모양의 선입니다. 길이를 구해 ▢ 안에 써넣으시오. (원주율: 3)

7

6 cm 3 cm

12 × 3 ÷ 2 + 6 × 3 ÷ 2 = 27 (cm)

27 cm

8

5 cm 4 cm

10 × 3 ÷ 2 + 4 × 3 ÷ 2 = 21 (cm)

21 cm

정답과 해설

1일 지름, 반지름 구하기(1)

✎ □ 안에 알맞은 수를 써넣으시오. (원주율: 3.1)

원주: 27.9 cm

9 cm

(원주)=(지름)×(원주율)이므로
27.9=□×3.1, □=27.9÷3.1.
□=9(cm)

원주: 24.8 cm

4 cm

(원주)=(지름)×(원주율)이므로
24.8=□×3.1, □=24.8÷3.1, □=8(cm)
지름이 8 cm이므로 반지름은 4 cm

원주를 구하려는 □에서 지름을 □로 두고 풀어.

1 원주: 21.7 cm

7 cm

21.7÷3.1=7(cm)

2 원주: 15.5 cm

5 cm

15.5÷3.1=5(cm)

3 원주: 34.1 cm

11 cm

34.1÷3.1=11(cm)

4 원주: 62 cm

20 cm

62÷3.1=20(cm)

5 원주: 18.6 cm

3 cm

18.6÷3.1=6 6÷2=3(cm)

6 원주: 31 cm

5 cm

31÷3.1=10 10÷2=5(cm)

7 원주: 68.2 cm

11 cm

68.2÷3.1=22 22÷2=11(cm)

8 원주: 49.6 cm

8 cm

49.6÷3.1=16 16÷2=8(cm)

2일 지름, 반지름 구하기(2)

✏️ □ 안에 알맞은 수를 써넣으시오. (원주율: 3)

(원주)=(지름)×(원주율)이므로
큰 원의 지름은 24=□×3, □=8(cm)
(큰 원의 반지름)=(작은 원의 지름)=4(cm)
작은 원의 반지름 2 cm

큰 원의 원주: 24 cm

1 큰 원의 원주: 18 cm

3 cm

18÷3=6 6÷2=3 (cm)

2 큰 원의 원주: 42 cm

7 cm

42÷3=14 14÷2=7(cm)

3 큰 원의 원주: 48 cm

8 cm

48÷3=16 16÷2=8(cm)

4 큰 원의 원주: 60 cm

5 cm

60÷3=20 20÷4=5(cm)

5 큰 원의 원주: 24 cm

6 cm

24÷3=8 8÷4×3=6(cm)

6 큰 원의 원주: 36 cm

9 cm

36÷3=12 12÷4×3=9(cm)

7 작은 원의 원주: 12 cm

4 cm

12÷3=4(cm)

8 작은 원의 원주: 15 cm

10 cm

15÷3=5 5×2=10(cm)

9 작은 원의 원주: 18 cm

9 cm

18÷3=6 6÷2×3=9(cm)

10 작은 원의 원주: 24 cm

12 cm

24÷3=8 8÷2×3=12(cm)

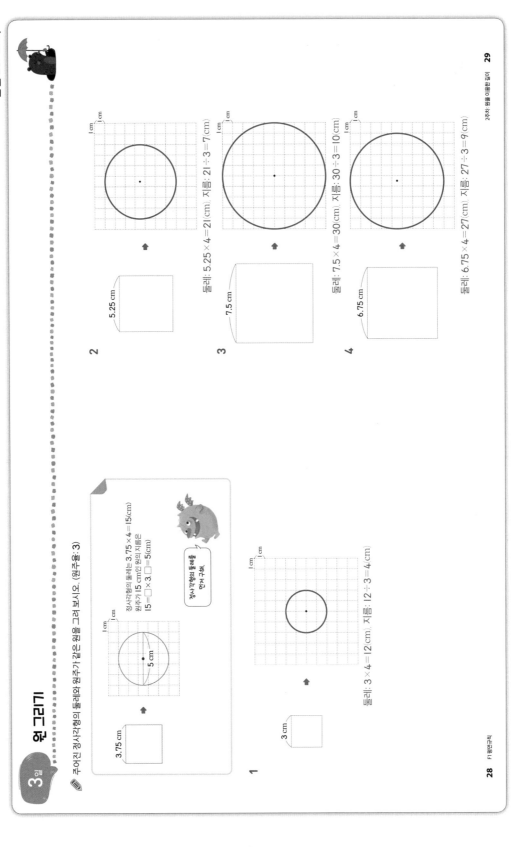

원 그리기

3일

주어진 정사각형의 둘레와 원주가 같은 원을 그려 보시오. (원주율: 3)

정사각형의 둘레는 3.75×4＝15(cm)
원주가 15 cm인 원의 지름은
15＝□×3, □＝5(cm)

3.75 cm

5 cm

1 cm

정사각형의 둘레를
먼저 구해.

1
3 cm

1 cm

둘레: 3×4＝12(cm), 지름: 12÷3＝4(cm)

2
5.25 cm

1 cm

둘레: 5.25×4＝21(cm), 지름: 21÷3＝7(cm)

3
7.5 cm

1 cm

둘레: 7.5×4＝30(cm), 지름: 30÷3＝10(cm)

4
6.75 cm

1 cm

둘레: 6.75×4＝27(cm), 지름: 27÷3＝9(cm)

4일 직사각형 안 도형의 둘레

✎ 직사각형 안에 그려진 도형의 둘레를 구해 □ 안에 써넣으시오. (원주율: 3.14)

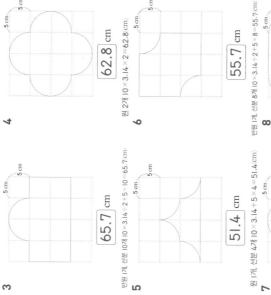

직선 부분 4개를 돌려서 붙이면 원이 됩니다.

직선 부분 4개를 돌려서 붙이면 지름이 10 cm인 원이 됩니다.
직선 부분 4개는 10×3.14=31.4(cm)
선분 2개는 5×2=10(cm)
도형의 둘레는 31.4+10=41.4(cm)

곡선 2개를 붙이면
반원, 곡선 4개를
붙이면 원이 되지.

1

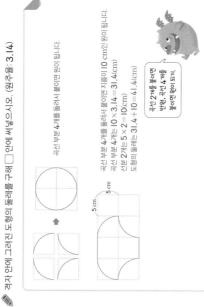

51.4 cm

원 1개, 선분 4개 10×3.14+5×4=51.4 cm

2

51.4 cm

원 1개, 선분 4개 10×3.14+5×4=51.4(cm)

직선 부분 4개는 원 1개, 곡선 부분 8개는 원 2개로 생각합니다.

3

65.7 cm

반원 1개, 선분 10개 10×3.14÷2+5×10=65.7(cm)

4

62.8 cm

원 2개 10×3.14×2=62.8(cm)

5

51.4 cm

원 1개, 선분 4개 10×3.14+5×4=51.4 cm

6

55.7 cm

반원 1개, 선분 8개 10×3.14÷2+5×8=55.7(cm)

7

62.8 cm

원 2개 10×3.14×2=62.8(cm)

8

82.8 cm

원 2개, 선분 4개 10×3.14×2+5×4=82.8(cm)

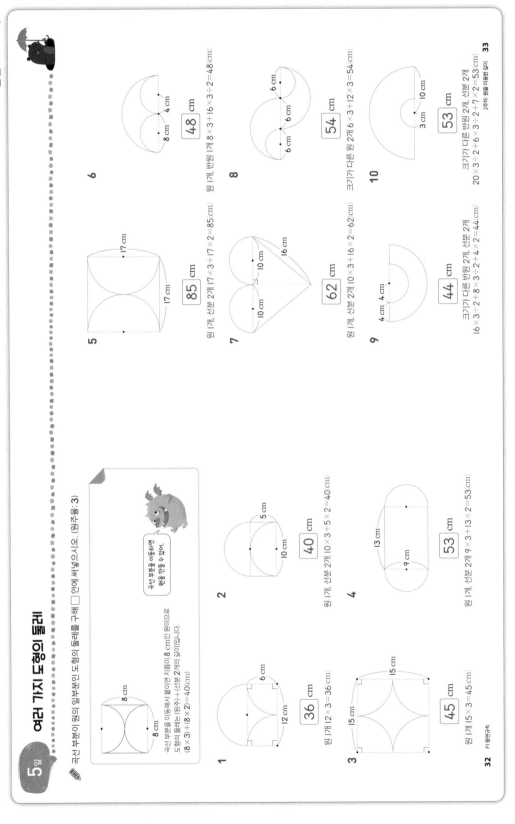

5일 여러 가지 도형의 둘레

✏ 곡선 부분이 원의 일부분인 도형의 둘레를 구해 ☐ 안에 써넣으시오. (원주율: 3)

곡선 부분을 이동해서 둘레가 지름이 8 cm인 원이므로 도형의 둘레는 (원주)+(선분 2개의 길이)입니다:
(8×3)+(8×2)=40(cm)

곡선 부분을 이동하면 둘레를 구할 수 있어.

1 36 cm
원 1개, 선분 2개 12×3=36 cm

2 40 cm
원 1개, 선분 2개 10×3+5×2=40 cm

3 45 cm
원 1개, 선분 2개 15×3=45 cm

4 53 cm
원 1개, 선분 2개 9×3+13×2=53 cm

5 85 cm
원 1개, 선분 2개 17×3+17×2=85 cm

6 48 cm
원 1개, 반원 1개 8×3+16×3÷2=48 cm

7 62 cm
원 1개, 선분 2개 10×3+16×2=62 cm

8 54 cm
원 1개, 반원 1개 6×3+12×3÷2=54 cm

9 44 cm
크기가 다른 반원 2개, 선분 2개
16×3÷2+8×3÷2+4×2=44 cm

10 53 cm
크기가 다른 원 2개, 선분 2개
20×3÷2+6×3÷2+7×2=53 cm

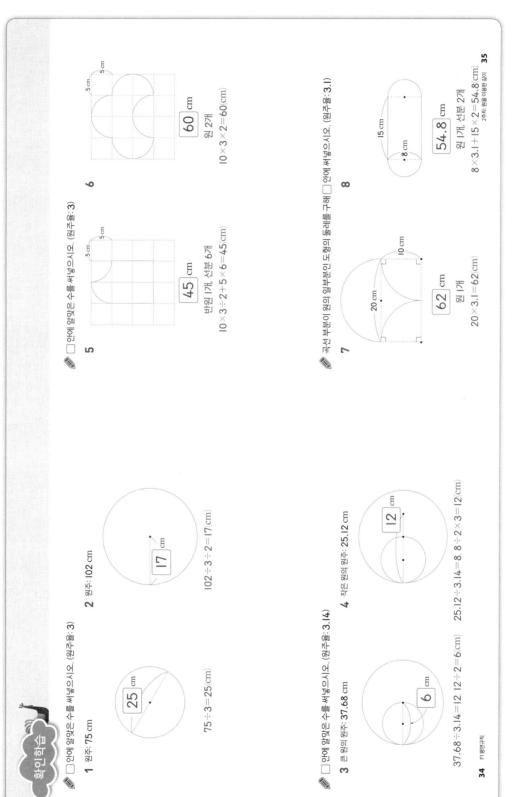

확인학습

1 □ 안에 알맞은 수를 써넣으시오. (원주율: 3)

1 원주: 75 cm

25 cm

75 ÷ 3 = 25 (cm)

2 원주: 102 cm

17 cm

102 ÷ 3 ÷ 2 = 17 (cm)

3 큰 원의 원주: 37.68 cm   4 작은 원의 원주: 25.12 cm

6 cm

37.68 ÷ 3.14 = 12 12 ÷ 2 = 6 (cm)

12 cm

25.12 ÷ 3.14 = 8 8 ÷ 2 × 3 = 12 (cm)

□ 안에 알맞은 수를 써넣으시오. (원주율: 3)

5

5 cm

45 cm

반원 1개, 선분 6개
10 × 3 ÷ 2 + 5 × 6 = 45 (cm)

6

5 cm

60 cm

원 2개
10 × 3 × 2 = 60 (cm)

곡선 부분이 원의 일부분인 도형의 둘레를 구해 □ 안에 써넣으시오. (원주율: 3.1)

7

20 cm   10 cm

62 cm

원 1개
20 × 3.1 = 62 (cm)

8

15 cm   8 cm

54.8 cm

원 1개, 선분 2개
8 × 3.1 + 15 × 2 = 54.8 (cm)

원의 넓이(1)

1일

✏️ 원의 넓이를 구해 ☐ 안에 써넣으시오. (원주율: 3)

원을 한없이 잘라 붙이면 직사각형이 됩니다.

원주의 반

(원의 넓이) = (원주의 반) × (반지름)

원주: 18 cm

3 cm

원주의 반은 9 cm이므로
원의 넓이는 9 × 3 = 27(cm²)

직사각형의 가로는 원주의 반, 세로는 반지름과 같아.

1 원주: 30 cm

5 cm

30 ÷ 2 × 5 = 75(cm²)

75 cm²

2 원주: 24 cm

4 cm

24 ÷ 2 × 4 = 48(cm²)

48 cm²

3 원주: 60 cm

10 cm

60 ÷ 2 × 10 = 300(cm²)

300 cm²

4 원주: 42 cm

7 cm

42 ÷ 2 × 7 = 147(cm²)

147 cm²

5 원주: 36 cm

12 cm

36 ÷ 2 × 6 = 108(cm²)

108 cm²

6 원주: 54 cm

18 cm

54 ÷ 2 × 9 = 243(cm²)

243 cm²

7 원주: 48 cm

16 cm

48 ÷ 2 × 8 = 192(cm²)

192 cm²

8 원주: 72 cm

24 cm

72 ÷ 2 × 12 = 432(cm²)

432 cm²

정답과 해설

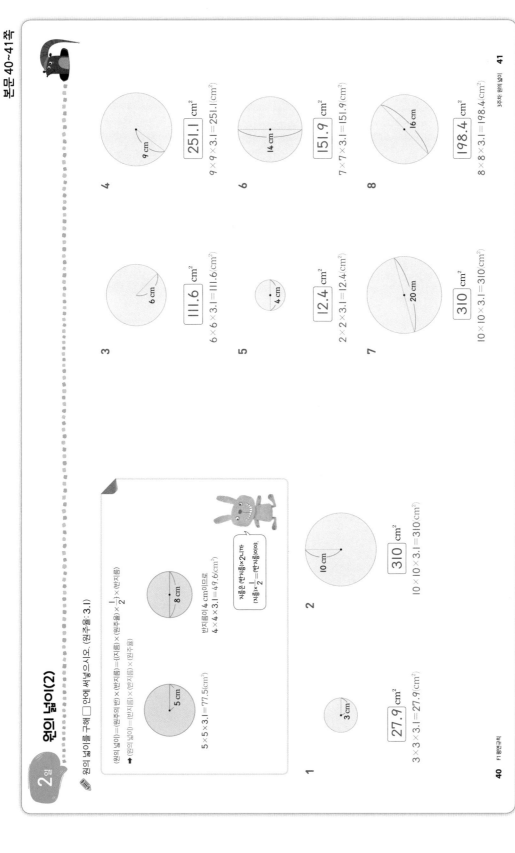

2일 원의 넓이(2)

원의 넓이를 구해 ☐ 안에 써넣으시오. (원주율: 3.1)

(원의 넓이)=(원주의 반)×(반지름)=(지름)×(원주율)× $\frac{1}{2}$ ×(반지름)

↑ (원의 넓이)=(반지름)×(반지름)×(원주율)

5×5×3.1=77.5(cm²)

반지름이 4 cm이므로
4×4×3.1=49.6(cm²)

지름은 (반지름)×2 니까
(지름)× $\frac{1}{2}$ =(반지름)이야.

1
27.9 cm²
3×3×3.1=27.9(cm²)

2
310 cm²
10×10×3.1=310(cm²)

3
111.6 cm²
6×6×3.1=111.6(cm²)

4
251.1 cm²
9×9×3.1=251.1(cm²)

5
12.4 cm²
2×2×3.1=12.4(cm²)

6
151.9 cm²
7×7×3.1=151.9(cm²)

7
310 cm²
10×10×3.1=310(cm²)

8
198.4 cm²
8×8×3.1=198.4(cm²)

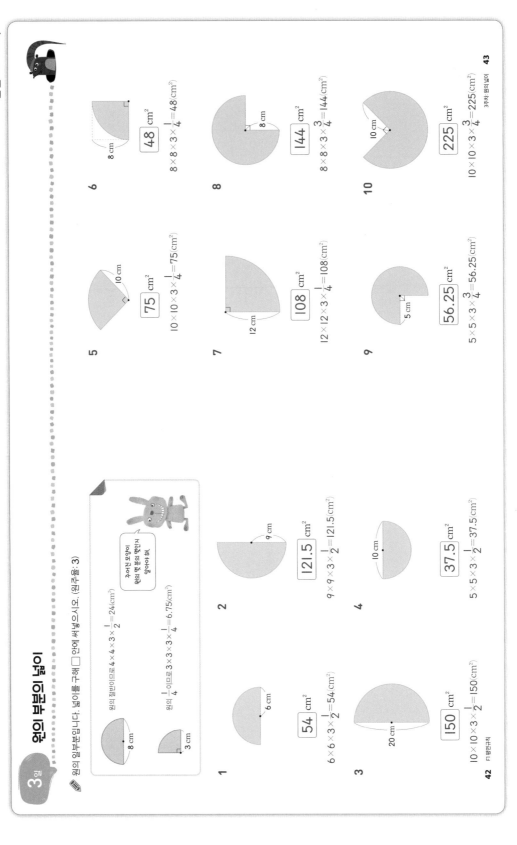

3일 원의 부분의 넓이

원의 일부분입니다. 넓이를 구해 □ 안에 써넣으시오. (원주율: 3)

원의 절반이므로 $6 \times 6 \times 3 \times \dfrac{1}{2} = 54 (cm^2)$

원의 $\dfrac{1}{4}$이므로 $3 \times 3 \times 3 \times \dfrac{1}{4} = 6.75 (cm^3)$

주어진 모양이 원의 몇 분의 몇인지 알아야 해.

1 6 cm
$\boxed{54}$ cm²

2 9 cm
$\boxed{121.5}$ cm²
$9 \times 9 \times 3 \times \dfrac{1}{2} = 121.5 (cm^2)$

3 20 cm
$\boxed{150}$ cm²
$10 \times 10 \times 3 \times \dfrac{1}{2} = 150 (cm^2)$

4 10 cm
$\boxed{37.5}$ cm²
$5 \times 5 \times 3 \times \dfrac{1}{2} = 37.5 (cm^2)$

5 10 cm
$\boxed{75}$ cm²
$10 \times 10 \times 3 \times \dfrac{1}{4} = 75 (cm^2)$

6 8 cm
$\boxed{48}$ cm²
$8 \times 8 \times 3 \times \dfrac{1}{4} = 48 (cm^2)$

7 12 cm
$\boxed{108}$ cm²
$12 \times 12 \times 3 \times \dfrac{1}{4} = 108 (cm^2)$

8 8 cm
$\boxed{144}$ cm²
$8 \times 8 \times 3 \times \dfrac{3}{4} = 144 (cm^2)$

9 5 cm
$\boxed{56.25}$ cm²
$5 \times 5 \times 3 \times \dfrac{3}{4} = 56.25 (cm^2)$

10 10 cm
$\boxed{225}$ cm²
$10 \times 10 \times 3 \times \dfrac{3}{4} = 225 (cm^2)$

F1 평면규칙

42

43

3주차: 원의 넓이

4일 정사각형 안의 원

✏️ 정사각형 안에 크기가 같은 원을 원을 그렸습니다. 색칠한 원의 넓이의 합을 구해 ☐ 안에 써 넣으시오. (원주율: 3.1)

원의 넓이는 6 × 6 × 3.1 = 111.6(cm²)

원 2개의 지름의 합이 12 cm이므로
원의 지름은 6 cm, 원의 반지름은 3 cm
원 4개 넓이의 합은 3 × 3 × 3.1 × 4 = 111.6(cm²)

원 하나의 반지름이
얼마인지 알아야 해.

1

8 cm

49.6 cm²

4 × 4 × 3.1 = 49.6(cm²)

2

8 cm

49.6 cm²

2 × 2 × 3.1 × 4 = 49.6(cm²)

3

10 cm

77.5 cm²

5 × 5 × 3.1 = 77.5(cm²)

4

10 cm

77.5 cm²

2.5 × 2.5 × 3.1 × 4 = 77.5(cm²)

5

12 cm

111.6 cm²

2 × 2 × 3.1 × 9 = 111.6(cm²)

6

12 cm

111.6 cm²

1 × 1 × 3.1 × 36 = 111.6(cm²)

7

16 cm

198.4 cm²

4 × 4 × 3.1 × 4 = 198.4(cm²)

8

16 cm

198.4 cm²

2 × 2 × 3.1 × 16 = 198.4(cm²)

5일 넓이가 큰 도형

넓이가 가장 큰 도형을 찾아 ○표 하시오. (원주율: 3)

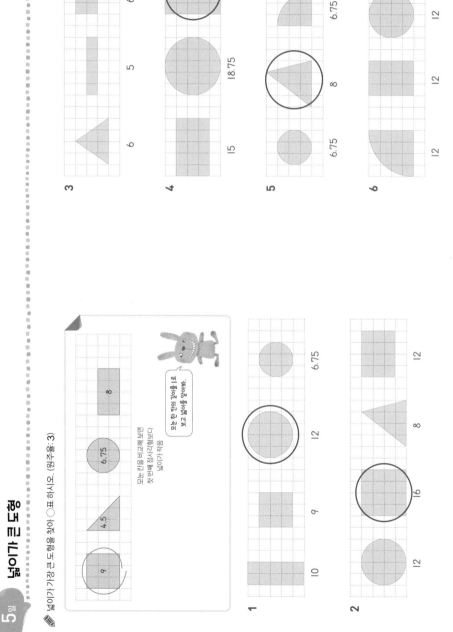

모든 칸을 비교해 보면
첫 번째 정사각형보다
넓이가 작음

모든 한 칸의 길이를 1로
보고 풀어야 함.

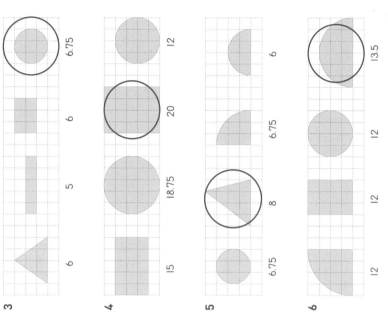

47

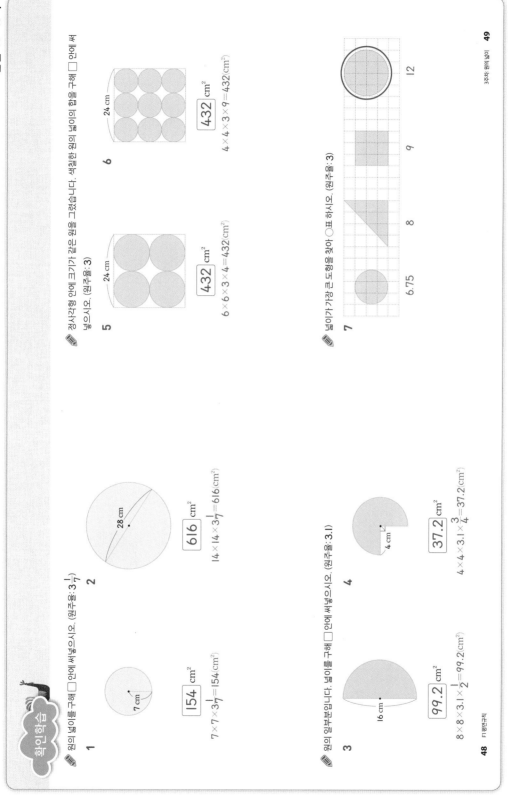

✏️ 원의 넓이를 구해 □ 안에 써넣으시오. (원주율: 3 1/7)

1

7 cm

154 cm²

7×7×3 1/7=154(cm²)

2

28 cm

616 cm²

14×14×3 1/7=616(cm²)

✏️ 원의 일부분입니다. 넓이를 구해 □ 안에 써넣으시오. (원주율: 3.1)

3

16 cm

99.2 cm²

8×8×3.1×1/2=99.2(cm²)

4

4 cm

37.2 cm²

4×4×3.1×3/4=37.2(cm²)

✏️ 정사각형 안에 크기가 같은 원을 그렸습니다. 색칠한 원의 넓이의 합을 구해 □ 안에 써넣으시오. (원주율: 3)

5

24 cm

432 cm²

6×6×3×4=432(cm²)

6

24 cm

432 cm²

4×4×3×9=432(cm²)

✏️ 넓이가 가장 큰 도형을 찾아 ◯표 하시오. (원주율: 3)

7

6.75   8   9   12

무늬의 넓이

✏️ 한 변이 2 cm인 정사각형 안에 무늬를 그렸습니다. 색칠한 부분의 넓이의 넓이의 합이 4 cm² 가 되는 두 모양에 각각 ◯표 하시오.

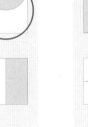

두 모양을 합쳐서 정사각형 1개가 되면 넓이는 4 cm²입니다.

1

2

3

4

5

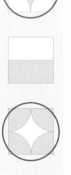

6

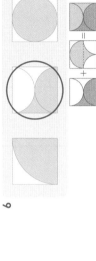

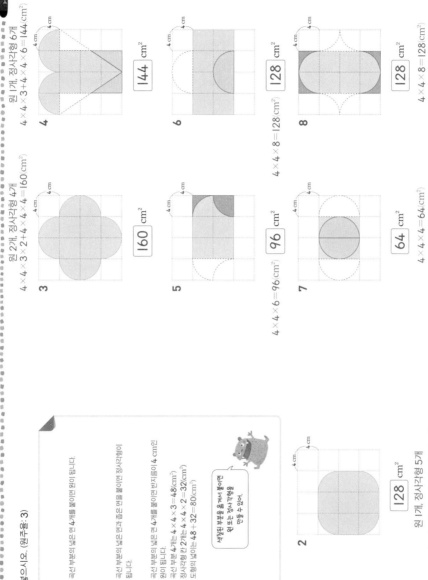

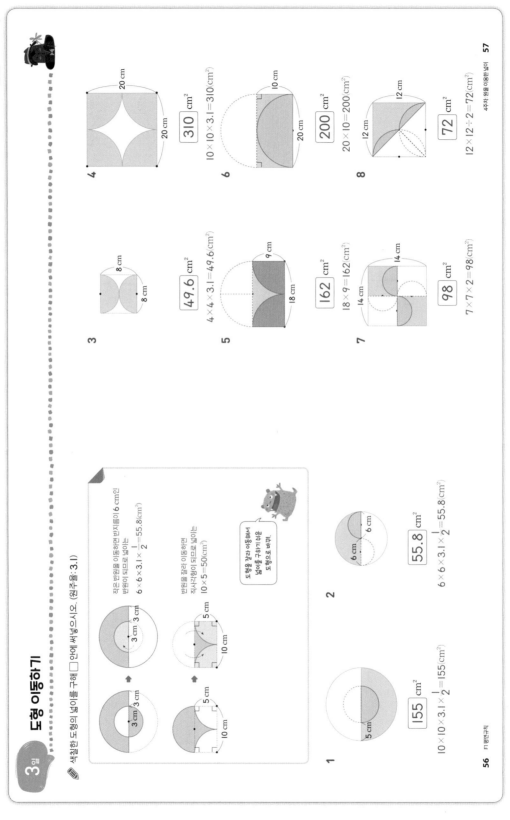

도형 이동하기

3일

✏️ 색칠한 도형의 넓이를 구해 □ 안에 써넣으시오. (원주율: 3.1)

작은 반원을 이동하면 반지름이 6 cm인
반원이 되므로 넓이는
$6 \times 6 \times 3.1 \times \dfrac{1}{2} = 55.8 (cm^2)$

반원을 잘라 이동하면
직사각형이 되므로 넓이는
$10 \times 5 = 50 (cm^2)$

도형을 잘라 이동해서
넓이를 구하기 쉬운
도형으로 바꿔.

1
155 cm^2
$10 \times 10 \times 3.1 \times \dfrac{1}{2} = 155 (cm^2)$

2
55.8 cm^2
$6 \times 6 \times 3.1 \times \dfrac{1}{2} = 55.8 (cm^2)$

3
49.6 cm^2
$4 \times 4 \times 3.1 = 49.6 (cm^2)$

4
310 cm^2
$10 \times 10 \times 3.1 = 310 (cm^2)$

5
162 cm^2
$18 \times 9 = 162 (cm^2)$

6
200 cm^2
$20 \times 10 = 200 (cm^2)$

7
98 cm^2
$7 \times 7 \times 2 = 98 (cm^2)$

8
72 cm^2
$12 \times 12 \div 2 = 72 (cm^2)$

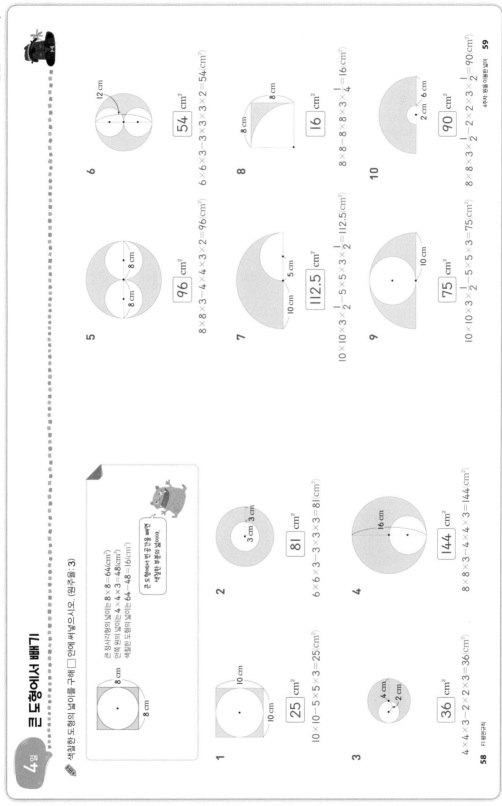

4일 큰 도형에서 빼기

색칠한 도형의 넓이를 구해 ☐ 안에 써넣으시오. (원주율: 3)

큰 정사각형의 넓이는 8×8=64(cm²)
안쪽 원의 넓이는 4×4×3=48(cm²)
색칠한 도형의 넓이는 64−48=16(cm²)

큰 도형에서 빈 공간을 빼면
색칠한 부분의 넓이야.

1

25 cm²

10×10−5×5×3=25(cm²)

2

81 cm²

6×6×3−3×3×3=81(cm²)

3

36 cm²

4×4×3−2×2×3=36(cm²)

4

144 cm²

8×8×3−4×4×3=144(cm²)

58 F1 평면규칙

5

96 cm²

8×8×3−4×4×3×2=96(cm²)

6

54 cm²

6×6×3−3×3×3×2=54(cm²)

7

112.5 cm²

10×10×3×$\frac{1}{2}$−5×5×3×$\frac{1}{2}$=112.5(cm²)

8

16 cm²

8×8−8×8×3×$\frac{1}{4}$=16(cm²)

9

75 cm²

10×10×3×$\frac{1}{2}$−5×5×3=75(cm²)

10

90 cm²

8×8×3×$\frac{1}{2}$−2×2×3×$\frac{1}{2}$=90(cm²)

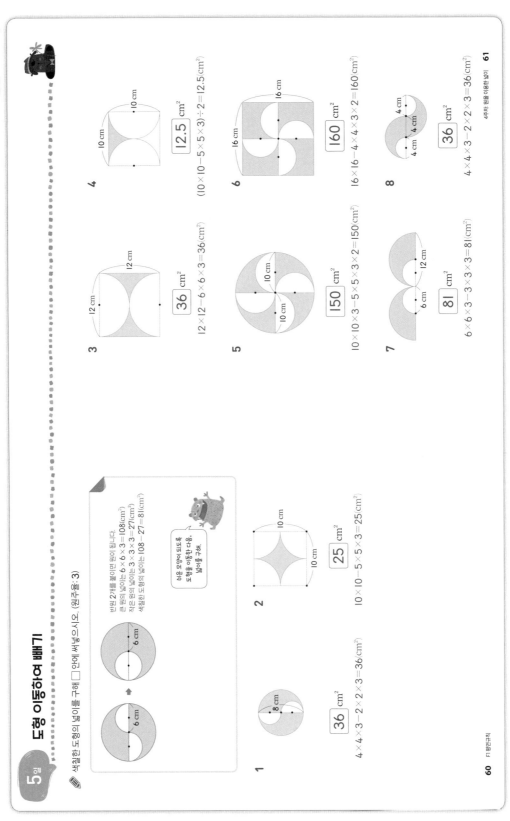

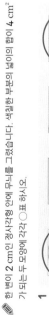

확인학습

✏️ 한 변이 2 cm인 정사각형 안에 무늬를 그렸습니다. 색칠한 부분의 넓이의 합이 4 cm²가 되는 두 모양에 각각 ○표 하시오.

1

62 F1 평면규칙

✏️ 색칠한 도형의 넓이를 구해 ☐ 안에 써넣으시오. (원주율: 3)

2

$\boxed{136}$ cm²

원 $1\frac{1}{2}$개, 정사각형 4개

$4 \times 4 \times 3 \times 1\frac{1}{2} + 4 \times 4 \times 4 = 136\,\text{cm}^2$

3

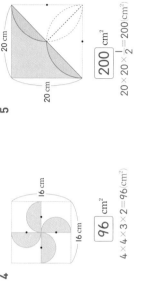

$\boxed{152}$ cm²

원 $\frac{1}{2}$개, 정사각형 8개

$4 \times 4 \times 3 \times \frac{1}{2} + 4 \times 4 \times 8 = 152\,\text{cm}^2$

✏️ 색칠한 도형의 넓이를 구해 ☐ 안에 써넣으시오. (원주율: 3)

4

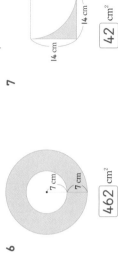

16 cm

16 cm

$\boxed{96}$ cm²

$4 \times 4 \times 3 \times 2 = 96\,\text{cm}^2$

5

20 cm

20 cm

20 cm

$\boxed{200}$ cm²

$20 \times 20 \times \frac{1}{2} = 200\,\text{cm}^2$

✏️ 색칠한 도형의 넓이를 구해 ☐ 안에 써넣으시오. (원주율: $3\frac{1}{7}$)

6

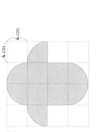

7 cm

7 cm

$\boxed{462}$ cm²

$14 \times 14 \times 3\frac{1}{7} - 7 \times 7 \times 3\frac{1}{7} = 462\,\text{cm}^2$

7

14 cm

14 cm

$\boxed{42}$ cm²

$14 \times 14 - 14 \times 14 \times 3\frac{1}{7} \times \frac{1}{4} = 42\,\text{cm}^2$

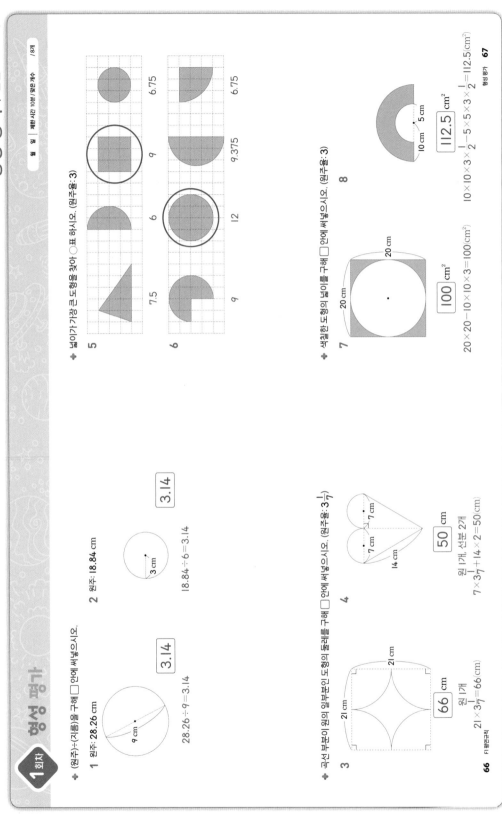

형성 평가

1회차

월 일 | 제한 시간 10분 / 맞은 개수 /8개

◆ (원주)÷(지름)을 구해 □ 안에 써넣으시오.

1 원주: 28.26 cm

9 cm

28.26÷9=3.14

3.14

2 원주: 18.84 cm

3 cm

18.84÷6=3.14

3.14

◆ 곡선 부분이 원의 일부분인 도형의 둘레를 구해 □ 안에 써넣으시오. (원주율: 3$\frac{1}{7}$)

3

21 cm

21 cm

21 cm

21 cm

원 1개

21×3$\frac{1}{7}$=66(cm)

66 cm

F1 평면규칙

4

7 cm

7 cm

14 cm

원 1개, 선분 2개

7×3$\frac{1}{7}$+14×2=50(cm)

50 cm

◆ 넓이가 가장 큰 도형을 찾아 ◯표 하시오. (원주율: 3)

5

7.5

9

6

6.75

6

9

12

9.375

6.75

◆ 색칠한 도형의 넓이를 구해 □ 안에 써넣으시오. (원주율: 3)

7

20 cm

20 cm

20×20−10×10×3=100(cm²)

100 cm²

8

5 cm

10 cm

10×10×3×$\frac{1}{2}$−5×5×3×$\frac{1}{2}$=112.5(cm²)

112.5 cm²

2회차 형성 평가

월 일 | 제한 시간 10분 / 맞은 개수 / 8개

✦ 반원 모양의 선입니다. 길이를 구해 ☐ 안에 써넣으시오. (원주율: 3)

1

21 cm

$8 \times 3 \div 2 + 6 \times 3 \div 2 = 21 (\text{cm})$

2

25.5 cm

$5 \times 3 \div 2 + 12 \times 3 \div 2 = 25.5 (\text{cm})$

✦ ☐ 안에 알맞은 수를 써넣으시오. (원주율: 3.1)

3 원주: 18.6 cm

6 cm

$18.6 \div 3.1 = 6 (\text{cm})$

4 원주: 43.4 cm

7 cm

$43.4 \div 3.1 \div 2 = 7 (\text{cm})$

✦ 원의 일부분입니다. 넓이를 구해 ☐ 안에 써넣으시오. (원주율: $3\frac{1}{7}$)

5

7 cm

77 cm²

$7 \times 7 \times 3\frac{1}{7} \times \frac{1}{2} = 77 (\text{cm}^2)$

6

14 cm

154 cm²

$14 \times 14 \times 3\frac{1}{7} \times \frac{1}{4} = 154 (\text{cm}^2)$

✦ 색칠한 도형의 넓이를 구해 ☐ 안에 써넣으시오. (원주율: 3)

7

4 cm

4 cm

96 cm²

원 1개, 정사각형 3개
$4 \times 4 \times 3 + 4 \times 4 \times 3 = 96 (\text{cm}^2)$

8

4 cm

96 cm²

정사각형 6개
$4 \times 4 \times 6 = 96 (\text{cm}^2)$

3회차 형성 평가 1

월 일 | 제한 시간 10분 / 맞은 개수 / 9개

✦ 원주를 모두 찾아 따라 그려 보시오.

1

2

3

4

✦ 주어진 정사각형의 둘레와 원주가 같은 원을 그려 보시오. (원주율: 3)

5

4.5 cm

둘레: 4.5×4=18 cm, 지름: 18÷3=6 cm

1 cm
1 cm

✦ 정사각형 안에 크기가 같은 원을 그렸습니다. 색칠한 원의 넓이의 합을 구해 □ 안에 써 넣으시오. (원주율: 3.14)

6

20 cm

$10 \times 10 \times 3.14 = 314\,(cm^2)$

314 cm²

7

20 cm

$5 \times 5 \times 3.14 \times 4 = 314\,(cm^2)$

314 cm²

✦ 색칠한 도형의 넓이를 구해 □ 안에 써넣으시오. (원주율: 3 $\frac{1}{7}$)

8

3.5 cm

$7 \times 7 \times 3\frac{1}{7} \times \frac{1}{2} = 77\,(cm^2)$

77 cm²

9

14 cm

14 cm

$14 \times 14 = 196\,(cm^2)$

196 cm²

형성 평가 **4회차**

점 월 일 | 제한 시간 10분 / 맞은 개수 [/8개]

✦ 바퀴를 주어진 바퀴 수만큼 굴렸습니다. 바퀴가 굴러간 거리를 □ 안에 써넣으시오.

(원주율: $3\frac{1}{7}$)

1 8바퀴

7 cm

176 cm

$7 \times 3\frac{1}{7} \times 8 = 176 \,(\text{cm})$

2 5바퀴

7 cm

220 cm

$14 \times 3\frac{1}{7} \times 5 = 220 \,(\text{cm})$

✦ □ 안에 알맞은 수를 써넣으시오. (원주율: 3.1)

3 큰 원의 원주: 37.2 cm

3 cm

3 cm

$37.2 \div 3.1 = 12 \quad 12 \div 4 = 3 \,(\text{cm})$

4 작은 원의 원주: 31 cm

15 cm

15 cm

$31 \div 3.1 = 10 \quad 10 \div 2 \times 3 = 15 \,(\text{cm})$

✦ 원의 넓이를 구해 □ 안에 써넣으시오. (원주율: 3.14)

5 원주: 31.4 cm

5 cm

78.5 cm²

$31.4 \div 2 \times 5 = 78.5 \,(\text{cm}^2)$

6 원주: 62.8 cm

20 cm

314 cm²

$62.8 \div 2 \times 10 = 314 \,(\text{cm}^2)$

✦ 한 변이 2 cm인 정사각형 안에 무늬를 그렸습니다. 색칠한 부분의 넓이의 합이 4 cm²가 되는 무늬에 각각 ◯표 하시오.

7

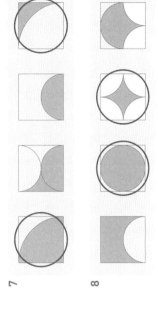

8

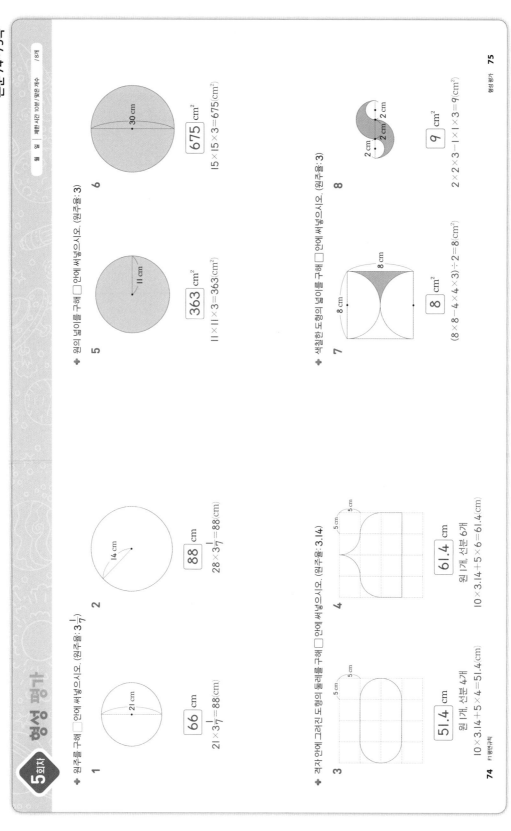

5회차 형성 평가

월 일 | 제한 시간 10분 / 맞은 개수 / 8개

◆ 원주를 구해 ☐ 안에 써넣으시오. (원주율: $3\frac{1}{7}$)

1

21 cm

66 cm

$21 \times 3\frac{1}{7} = 88$ (cm)

2

14 cm

88 cm

$28 \times 3\frac{1}{7} = 88$ (cm)

◆ 격자 안에 그려진 도형의 둘레를 구해 ☐ 안에 써넣으시오. (원주율: 3.14)

3

5 cm 5 cm

51.4 cm

원 1개, 선분 4개

$10 \times 3.14 + 5 \times 4 = 51.4$ (cm)

4

5 cm 5 cm

61.4 cm

원 1개, 선분 6개

$10 \times 3.14 + 5 \times 6 = 61.4$ (cm)

◆ 원의 넓이를 구해 ☐ 안에 써넣으시오. (원주율: 3)

5

11 cm

363 cm²

$11 \times 11 \times 3 = 363$ (cm²)

6

30 cm

675 cm²

$15 \times 15 \times 3 = 675$ (cm²)

◆ 색칠한 도형의 넓이를 구해 ☐ 안에 써넣으시오. (원주율: 3)

7

8 cm 8 cm

8 cm

8 cm²

$(8 \times 8 - 4 \times 4 \times 3) \div 2 = 8$ (cm²)

8

2 cm 2 cm
2 cm 2 cm

9 cm²

$2 \times 2 \times 3 - 1 \times 1 \times 3 = 9$ (cm²)

Memo

"Let no one untrained in geometry enter.

"기하학을 모르는 자, 이 문을 들어오지 말라."